JE RÉUSSIS
MES
PHOTOS
de vacances

Photo Bernard Brault, Snorkel Park, Bermudes
Données techniques Nikon D3S; zoom Nikon 24-70mm F2,8; 1/500 F7,1; 100 ISO

JE RÉUSSIS MES PHOTOS

de vacances

Bernard Brault
Stéphane Champagne

LES ÉDITIONS

Catalogage avant publication de Bibliothèque et Archives nationales du Québec et Bibliothèque et Archives Canada

Brault, Bernard

Je réussis mes photos de vacances
ISBN 978-2-89705-147-1

1. Photographie. 2. Vacances - Miscellanées. 3. Photographie de voyage.
I. Champagne, Stéphane. II. Titre.

TR146.B72 2013   771   C2013-940241-1

DIRECTRICE DE L'ÉDITION
Martine Pelletier

DIRECTRICE DE LA COMMERCIALISATION
Sandrine Donkers

ÉDITEUR DÉLÉGUÉ
Yves Bellefleur

CONCEPTION GRAPHIQUE
Yanick Nolet

MISE EN PAGE
Pascal Simard

PHOTOGRAPHIE COUVERTURE
Stéphane Champagne

RÉVISION
Michèle Jean

L'éditeur bénéficie du soutien de la Société de développement des entreprises culturelles du Québec (SODEC) pour son programme d'édition et pour ses activités de promotion.

L'éditeur remercie le gouvernement du Québec de l'aide financière accordée à l'édition de cet ouvrage par l'entremise du Programme de crédit d'impôt pour l'édition de livres, administré par la SODEC.

Nous reconnaissons l'aide financière du gouvernement du Canada par l'entremise du Fonds du livre du Canada (FLC).

Dépôt légal – 1er trimestre 2013

ISBN 978-2-89705-147-1
Imprimé et relié au Canada

LES ÉDITIONS LA PRESSE

PRÉSIDENTE
Caroline Jamet

7, rue Saint-Jacques
Montréal (Québec) H2Y 1K9

Photo Bernard Brault, Christchurch, Nouvelle-Zélande
Données techniques Nikon D700; zoom Nikon
70-200mm F2,8; 1/500 F6,3; 100 ISO

SOMMAIRE

PRÉFACE

Les voyages sont trop souvent éphémères. Il y a les petits voyages, ces escapades qu'on aime se rappeler. Il y a les grands voyages, ces aventures qui marquent nos existences. Qu'ils soient petits ou grands, on en parle trop souvent au passé, mais on les désire au futur. Trop précieux pour les oublier, nous aimons les immortaliser. Heureusement, il y a la photo!

L'expédition, l'excursion, la croisière ou la simple balade se traduisent en formidables découvertes pour ceux et celles qui se laissent inspirer par le moment. Un lieu, une lumière, un paysage ou un personnage crée la scène. C'est une composition complexe d'images qui forme un tableau naturel, ou encore un simple instant fugace qui raconte le temps. Savoir saisir cette occasion, c'est figer un tel instant pour immortaliser la valeur d'un moment particulier qui vous appartient.

La photographie permet de transmettre à cette scène l'émotion du moment. C'est ce que j'appelle mes «petits moments d'éternité», ceux qui amorcent souvent la réflexion, formidable aventure intérieure qui frissonne les voyages de récompenses personnelles. À ce moment précis, l'ambiance aussi est éphémère. Rapidement, elle se dérobe et s'enferme dans les coulisses du temps et de l'âme. Elle se dissipe et s'éclipse pour ne devenir que souvenirs, que la mémoire peine à reconstituer dans ses moindres détails. Heureusement, il y a la photographie, extension de nos pensées oubliées, pour raviver ces moments avec émotion.

Dans ce magnifique ouvrage, Bernard Brault et Stéphane Champagne vous accompagnent en voyage. Ils partagent leur expérience de grands photographes pour vous aider à immortaliser ces petits moments d'éternité, ces photos réussies grâce aux conseils de pros, qui deviendront de merveilleux souvenirs qui défieront le temps.

L'immense talent des auteurs a permis la réalisation de ce guide facile d'utilisation, concis et rempli de trucs qui vous permettront de réussir vos photos de voyage. Pour que vos voyages s'inscrivent dans la mémoire et le temps…

Bon voyage et bon vent!

JEAN LEMIRE
Chef de mission du voilier
océanographique *Sedna IV*

Photo : Bernard Brault

LES CINQ RÈGLES D'OR DE LA PHOTOGRAPHIE EN VACANCES

/1 Voyager avec le bon équipement

Apporter huit objectifs et deux boîtiers lors d'une sortie au jardin zoologique est inutile. Et prendre part à un safari photo dans le parc national du Serengeti, en Tanzanie, avec un simple téléphone intelligent n'est guère mieux. À vous de déterminer ce qui est logique ou non (voir chapitre 1). Offrir un appareil compact aux enfants (il en existe des modèles vendus à moins de 100 $) est souvent une façon détournée et ludique de les impliquer davantage dans votre voyage ou votre escapade.

/2 S'entendre sur la place que la photographie occupera dans vos vacances

Les disputes ne se font pas attendre quand le conjoint ou la conjointe (ou même les enfants) prend en grippe le membre de la famille qui mitraille tout sur son passage. Faites des choix. Déterminez, par exemple, des moments de la journée (pendant les repas, dans les musées, etc.) où les appareils photo sont proscrits. Choisissez des thèmes (cabines téléphoniques, taxis, détails architecturaux, etc.) que tout le monde, y compris les enfants, devra photographier lors de vos promenades ou de vos déplacements en train ou en autocar, etc. La photographie peut ainsi devenir un jeu.

/3 Être respectueux

Si votre but est de photographier les gens, renseignez-vous sur les us et coutumes des endroits que vous visiterez. Avant de dégainer, parlez avec vos sujets, gagnez leur confiance. Si la personne ne veut pas se faire photographier, n'insistez pas. Il est toujours possible d'immortaliser une scène de la vie quotidienne discrètement avec un téléobjectif. Prenez toutefois garde aux âmes sensibles. Et tenez compte du lieu où vous tenterez de jouer les *paparazzis*. Il est plus facile de passer inaperçu sur une place publique que dans un village isolé.

/4 S'appliquer

Dans la mesure du possible, tentez de faire une bonne photo au moment de la prise de vue plutôt que de passer des heures interminables devant votre ordinateur à retoucher vos images. Bien sûr, recadrer une photo, y ajouter un peu de clarté ou bien contraster un ciel que vous ne jugez pas assez bleu sont devenus des opérations simples à mener grâce à des logiciels comme Photoshop. Il n'empêche qu'à trop vouloir améliorer une photo, on peut en arriver à la dénaturer.

/5 Imprimer et sauvegarder

En cette ère du numérique, il n'est plus nécessaire d'imprimer ses photos si on veut les partager avec ses parents ou amis. Il suffit d'un simple clic pour que vos images de vacances se retrouvent dans le courriel de votre mère, sur Facebook ou sur Flicker. Mais prenez le temps de faire imprimer certaines de vos photos et, dans la mesure du possible, de les sauvegarder sur un disque dur externe ou sur des DVD. Un simple pépin technique peut vous faire perdre des photos que vous stockez depuis des années. Pensez-y!

Photo Bernard Brault, Manta, Équateur
Données techniques Nikon D3S; zoom Nikon 70-200mm F2,8; 1/125 F2,8; 100 ISO

CHAPITRE 1

Avant de partir

Photo Bernard Brault, Hamilton, Be
Données techniques Nikon D3S; zo
70-200mm F2,8; 1/250 F2,8; 320 IS

Dresser une liste des vêtements, accessoires et produits d'hygiène personnelle que vous apportez en vacances est un bon moyen de ne rien oublier. Pourquoi ne pas faire la même chose avec votre équipement de photographie ? Participer à une croisière dans les Antilles ou à un safari photo en Afrique ne nécessite pas le même matériel qu'un séjour d'une semaine en Nouvelle-Angleterre, un voyage de ski dans Charlevoix ou bien un périple d'un mois dans les grandes capitales européennes.

Nous vous présentons quatre exemples de «kits» à apporter selon votre destination ou le type de vacances que vous ferez.

«KIT» SAFARI

Valise Lowepro Pro Roller x200 pour le transport dans l'avion

Sac à la taille Lowepro Inverse 200 AW pour les accessoires à la taille

Deux boîtiers Nikon D4 avec deux piles chacun

Multitude d'objectifs :

- zoom 14-24 mm et 24-70 mm f2.8
- zoom 70-200 mm f2.8
- zoom 200-400 mm f4.0
- filtres polarisants
- TC-14E extender
- monopied Gitzo pour sa légèreté
- ordinateur portable avec disque dur portatif pour sauvegarder vos images

Note : Cet ensemble est le plus complet de ceux proposés. Non seulement parce que vous serez dans un endroit que vous ne visiterez probablement qu'une fois dans votre vie (donc, autant vous en donner à cœur joie), mais aussi parce que les prises de vue seront variées et nécessiteront tantôt un grand angle tantôt un téléobjectif. Comme vous serez en région très éloignée au milieu de la jungle ou de la savane, apporter un deuxième boîtier de rechange est un incontournable. De plus, assurez-vous d'avoir une pile de rechange pour chaque boîtier. Un adaptateur de prise de courant est de rigueur pour charger vos piles.

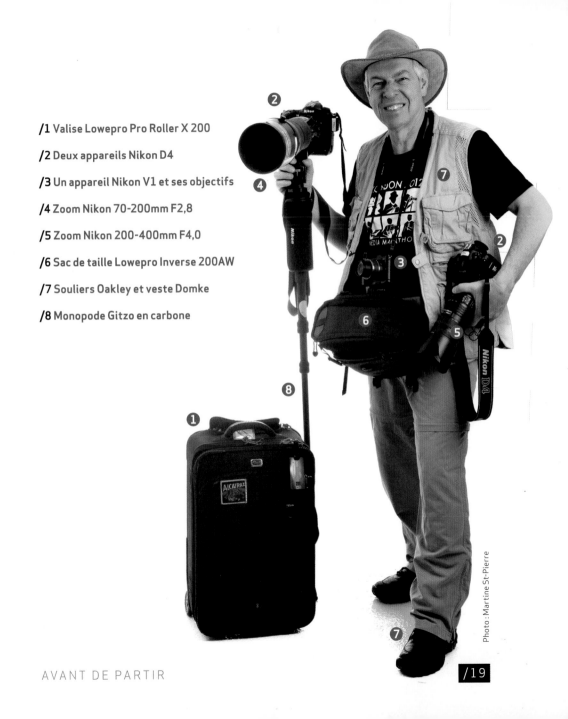

/1 Valise Lowepro Pro Roller X 200

/2 Deux appareils Nikon D4

/3 Un appareil Nikon V1 et ses objectifs

/4 Zoom Nikon 70-200mm F2,8

/5 Zoom Nikon 200-400mm F4,0

/6 Sac de taille Lowepro Inverse 200AW

/7 Souliers Oakley et veste Domke

/8 Monopode Gitzo en carbone

Photo : Martine St-Pierre

AVANT DE PARTIR

«KIT» VACANCES DE SKI

Sac Lowepro Toploader pro 65 AW selon le boîtier Nikon V1 avec deux objectifs (10-30 mm et 30-110 mm) ou sac Lowepro 75 AW pour Nikon D4 avec zoom 70-200 mm f2.8 sans pare-soleil. Un autre sac peut être accroché à ses côtés pour zoom 24-70 mm f2.8.

Petits gants pour le maniement de l'appareil

Note: En ski, il vaut mieux «voyager léger». Ce sac Lowepro, qui se porte sur la poitrine, vous permet d'avoir accès à votre appareil rapidement, contrairement à un sac à dos. Quand il fait plus froid, il est recommandé de conserver une pile de rechange au chaud, dans une poche intérieure de votre manteau.

/1 Un appareil Nikon D4

/2 Zoom Nikon 70-200mm F2,8

/3 Camera GoPro Hero 3 sur le casque

/4 Sac Lowepro Toploader Pro 75AW avec harnais

/5 Gants POW

Photo : Martine St-Pierre

Photo Bernard Brault, Michel Forget, Niseko, Japon
Données techniques Nikon D3S; zoom Nikon 70-200mm F2,8; 1/1250 F3,5; 100 ISO

« KIT » POUR LA PHOTO URBAINE

Caméra Nikon D4 ou V1 en bandoulière avec deux objectifs : zoom 14-24 mm ou 24-70 mm selon l'effet recherché et un 70-200 mm pour photographier les gens

Sac Lowepro SlingShot 102 AW, petit et maniable

Note : Faire de la photo en milieu urbain, c'est accepter de se mêler à la foule, donc à des milliers de gens. Soyez le plus discret possible afin de ne pas trop attirer l'attention. Les voleurs à la tire sont nombreux dans certaines grandes villes.

/1 Un appareil Nikon D4

/2 Zoom Nikon 70-200mm F2,8

/3 Sac Lowepro Fastpack 250

Photo : Bernard Brault

« KIT » POUR LA PLAGE

Un Nikon D4 ou V1 avec les mêmes objectifs que la ville pour différents sujets

Note : Apportez le moins d'équipement possible à la plage, à moins d'avoir loué une maison à proximité de la mer. Rappelez-vous que le sable et l'eau de mer sont les pires ennemis des appareils photo.

/1 Un appareil Nikon V1 et ses objectifs

/2 Un appareil Nikon D4

/3 Zoom Nikon 24-70mm F2,8

/4 Filtre polarisant

/5 Sac Lowepro Utility case S&F

Photo : Bernard Brault

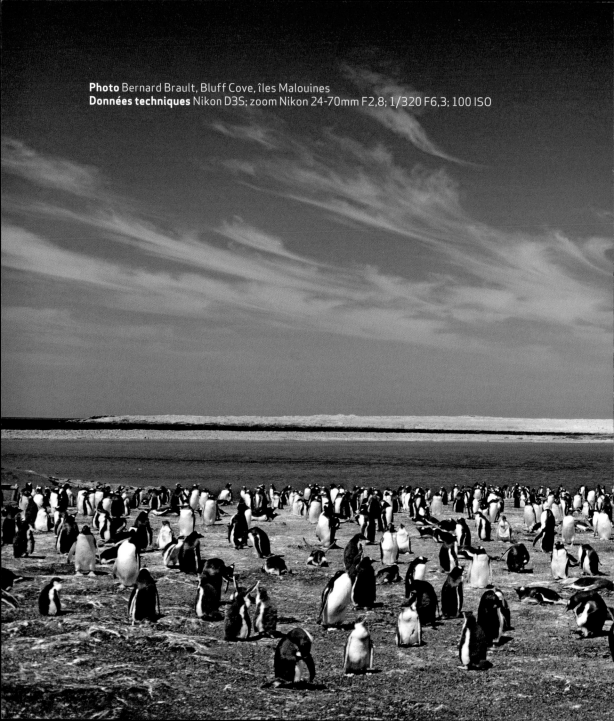

CHAPITRE 2

Composition et cadrage

Photo Bernard Brault, Athènes, Grèce
Données techniques Nikon D3; zoom Nikon 70-200mm F2,8; 1/640 F3,5; 320 ISO

Bien comprendre le rôle de la lumière est essentiel pour faire de belles photos. Mais au-delà de cette compréhension, c'est le regard du photographe qui fait toute la différence. Les images les plus fortes ne sont pas celles qu'on a vues cent fois, mais bien celles qui contrastent par leur originalité. En vacances, vous aurez sans doute le réflexe de photographier ce que des milliers, voire des millions, de gens ont immortalisé avant vous. Est-ce une raison pour ne pas vous appliquer et rapporter à la maison, tels des trophées de chasse, des images saisissantes, sinon révélatrices, de ce que vous avez vu et vécu dans votre cour arrière ou à des milliers de kilomètres de chez vous ?

Dans ce chapitre, il est question de composition et de cadrage, bref des façons de bien organiser les éléments dans une photo. Vous verrez qu'il est très facile d'améliorer une photo en changeant simplement de position ou en concentrant son regard sur l'essentiel. Somme toute, vous réaliserez combien il n'est pas difficile de développer un œil de lynx et, par conséquent, de mieux réussir ses photos.

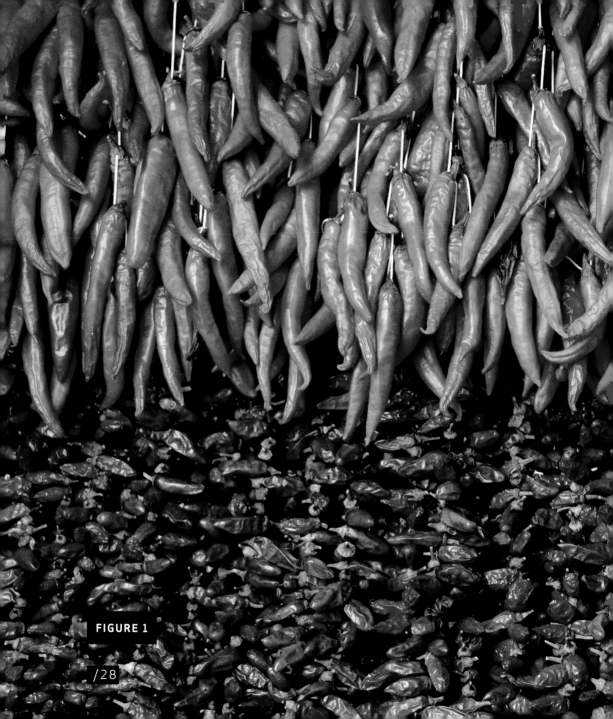

FIGURE 1

DU PIQUANT À MADÈRE (PAGES PRÉCÉDENTES)

But recherché: aller à l'essentiel. Les sujets à photographier foisonnent dans les marchés publics. Tellement, qu'un photographe le moindrement distrait peut inclure dans son image une foule de détails inutiles ou nuisibles, comme l'étal voisin, un bout de toit, la tête d'un passant, etc. Dans le présent exemple (figure 1), le regard de Bernard a été attiré par un étal débordant de piments dans un marché public sur l'île de Madère, au Portugal.

Méthode pour y parvenir: en utilisant un téléobjectif, il est allé droit au but, c'est-à-dire qu'il a fait son cadrage sur les piments, bref, sur le sujet qui l'intéresse. L'image aurait perdu de sa force si d'autres éléments avaient été inclus dans le cadrage. Soyez attentif au moment de votre prise de vue. Allez à l'essentiel; évitez les éléments superflus.

Photo Bernard Brault
Données techniques Nikon D4; zoom Nikon 70-200mm F2,8; 1/40 F4,0; 800 ISO

CLOCHER À YALE

But recherché: varier ses prises de vue. Pourquoi faire la même photo que tout le monde? Tel un mouton, vous serez tenté de faire comme les autres touristes en vous plaçant au même endroit qu'eux. Lors d'une visite à l'Université Yale, dans la ville de New Haven aux États-Unis, Bernard aurait pu photographier le clocher de ce bâtiment patrimonial (figure 2) en se plaçant au pied de ce dernier.

Méthode pour y parvenir: pour varier ses prises de vue, il n'y a qu'une solution, c'est-à-dire se déplacer par rapport au sujet. Bref, trouver un autre angle. Bernard s'est ainsi éloigné du sujet en se rendant dans un parc situé de l'autre côté de la rue. En levant les yeux, il a vu le clocher à travers les arbres. Bingo! Voilà une photo d'architecture avec, en prime, un cadre naturel. Appliquez cette méthode, peu importe l'édifice ou le monument photographiés.

Photo Bernard Brault
Données techniques Nikon D4; zoom Nikon 14-24mm F2,8; 1/320 F7,1; 80 ISO

FIGURE 2

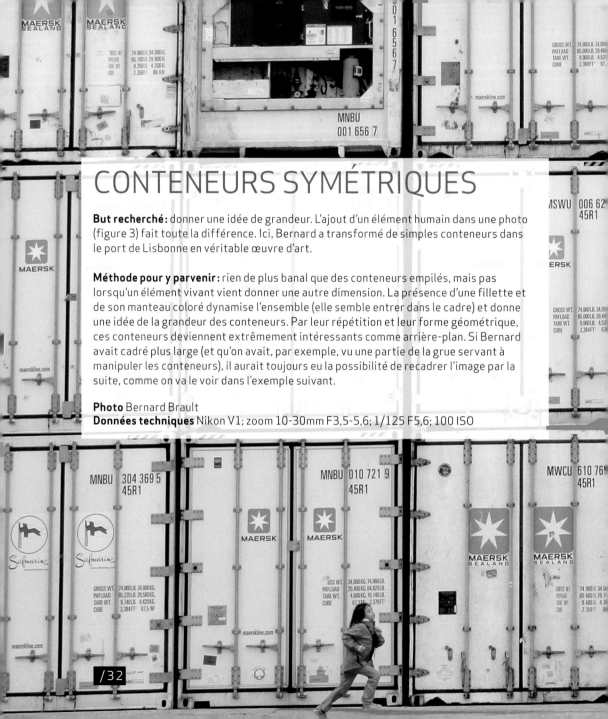

CONTENEURS SYMÉTRIQUES

But recherché : donner une idée de grandeur. L'ajout d'un élément humain dans une photo (figure 3) fait toute la différence. Ici, Bernard a transformé de simples conteneurs dans le port de Lisbonne en véritable œuvre d'art.

Méthode pour y parvenir : rien de plus banal que des conteneurs empilés, mais pas lorsqu'un élément vivant vient donner une autre dimension. La présence d'une fillette et de son manteau coloré dynamise l'ensemble (elle semble entrer dans le cadre) et donne une idée de la grandeur des conteneurs. Par leur répétition et leur forme géométrique, ces conteneurs deviennent extrêmement intéressants comme arrière-plan. Si Bernard avait cadré plus large (et qu'on avait, par exemple, vu une partie de la grue servant à manipuler les conteneurs), il aurait toujours eu la possibilité de recadrer l'image par la suite, comme on va le voir dans l'exemple suivant.

Photo Bernard Brault
Données techniques Nikon V1; zoom 10-30mm F3,5-5,6; 1/125 F5,6; 100 ISO

/33

LOUIS À LA PLAGE

But recherché : recadrer pour mieux mettre en valeur le sujet. Par une belle fin de journée sur cette plage du Maine, Stéphane a soufflé des bulles de savon que son fils Louis a fait éclater avec enthousiasme. L'image, prise initialement à l'horizontale (figure 4), est intéressante, mais Louis semble perdu au milieu de la photo.

Méthode pour y parvenir : cette même photo, recadrée à la verticale (figure 5), devient beaucoup plus forte. L'accent est davantage mis sur l'enfant tout sourire et la bulle qu'il s'apprête à capturer. On devine malgré tout qu'on est à la plage. Recadrer une photo sur un écran d'ordinateur est sans doute l'opération la plus courante chez les photographes professionnels. Au retour de vos vacances, n'hésitez pas à recadrer vos images.

Photo Stéphane Champagne
Données techniques Canon 7D; zoom Canon 70-200 mm f2.8; 1/1000 f4.5; 125 ISO

FIGURE 4

FIGURE 5

ANTOINE À VÉLO

But recherché : avoir un bel arrière-plan. Antoine a obtenu en cadeau ce joli vélo pour souligner la fin de son aventure scolaire à la maternelle. Ce faisant, il célébrait le début des grandes vacances. Stéphane a bien évidemment voulu immortaliser le moment. La première photo (figure 6) pourrait sans doute faire l'affaire pour bien des photographes. Notez cependant comment l'arbuste et le début de la clôture viennent polluer l'image ou à tout le moins briser l'harmonie.

Méthode pour y parvenir : Stéphane a attendu que son fils soit devant la clôture (figure 7) qui, ici, se transforme en arrière-plan continu. Bref, l'uniformité de la clôture permet de concentrer notre attention sur le cycliste en herbe. Si un passant, un panneau routier ou encore des fils électriques sont dans votre cadrage, la photo sera moins réussie. Cette méthode s'applique à n'importe quelle situation que vous soyez en Australie, en Toscane ou sur une piste cyclable en Montérégie.

Photos Stéphane Champagne
Données techniques Canon 7D; zoom Canon 70-200 mm f2.8; 1/320 f2.8; 200 ISO

FIGURE 6

FIGURE 7

COMPOSITION ET CADRAGE

FIGURE 8

CHEMIN DES BATTURES

But recherché : bien composer son image. Autre exemple où le simple fait de se déplacer légèrement change la donne. Lors d'une promenade en famille sur le chemin des battures de L'Isle-aux-Grues, Stéphane a photographié sa conjointe et son fils qui se baladaient à vélo. Sur la photo ci-haut (figure 8), le chemin est légèrement décalé vers la gauche, ce qui donne malgré tout une image intéressante.

Méthode pour y parvenir : regardez quand le photographe se déplace d'à peine un mètre sur sa droite (figure 9). La perspective est différente. Le chemin, désormais au centre, attire le regard vers l'infini. Autre élément à noter dans cette photo : la composition de l'image qui respecte la règle des tiers (2/3 de champ et 1/3 de ciel). Inclure la ligne d'horizon au milieu de l'image n'est pas recommandé. La règle du 2/3 – 1/3 (ou inversement : 1/3 de sol et 2/3 de ciel, par exemple) est nettement plus intéressante d'un point vue artistique.

Photos Stéphane Champagne
Données techniques Canon 7D ; objectif Canon 16-35 mm f2.8 ; 1/250 f3.5 ; 100 ISO

FIGURE 9

Photo Bernard Brault, Parc National de Plaisance, Québec
Données techniques Nikon D3; zoom Nikon 70-200mm F2,8; 1/100 F13; 100 ISO

CHAPITRE 3

Le bon objectif

Photo Stéphane Champagne, Pine Point, Maine
Données techniques Canon 7D; zoom Canon 70-200 mm f2.8; 1/250 f2.8; 125 ISO

La plupart des appareils compacts permettent de travailler en mode grand-angle ou à l'aide d'un téléobjectif (le fameux zoom) intégré. Pour les appareils reflex et hybrides, vous avez le choix : soit vous vous déplacez avec deux objectifs différents (par exemple, un grand-angle 24 mm et un téléobjectif 70-200 mm), soit vous optez pour un objectif plus polyvalent (du genre 28-200 mm) permettant de passer d'un angle à un téléobjectif en un tournemain.

Comme son nom l'indique, le grand-angle permet de photographier des paysages ou de larges vues d'ensemble. Les grands-angles offrent une très grande profondeur de champ, c'est-à-dire que tout est au foyer (rien n'est flou). Mais attention, le grand-angle change les perspectives, en ce sens qu'il exagère les dimensions. C'est pourquoi nous vous suggérons d'inclure, quand cela est possible, un élément vivant dans une photo prise avec ce type d'objectif.

Le téléobjectif, de son côté, permet de compresser les perspectives. Les éléments qui sont loin vous sembleront beaucoup plus près. Bref, le téléobjectif permet de zoomer sur un sujet, ce que l'œil humain ne permet pas. Pour les portraits ou la photo animalière, c'est l'outil idéal. Toutefois, à moins de travailler avec une plus petite ouverture (f5,6 et plus), votre arrière-plan sera flou.

Dans ce chapitre, nous verrons la différence lorsqu'un même sujet est photographié tantôt avec un grand-angle, tantôt avec un téléobjectif. Nous vous donnerons aussi quelques exemples de photos qui n'auraient pas été aussi réussies si elles avaient été prises avec un téléobjectif plutôt qu'un grand-angle, et vice-versa.

FIGURE 10

Photo Stéphane Champagne
Données techniques Canon 7D; zoom Canon 70-200 mm f2.8; 1/2500 f2.8; 100 ISO

DE LA PLANCHE DANS LE MAINE

But recherché: varier ses prises de vue. Confortablement installé sur sa chaise longue, Stéphane a pu photographier sa conjointe Marie-France qui s'éclatait sur les vagues de cette plage du Maine par une belle journée de juillet.

Méthode pour y parvenir: le téléobjectif a permis à Stéphane (figure 10) non seulement de travailler à distance, mais encore d'isoler Marie-France sur qui on peut justement lire une expression de joie. En prime, l'image est bonifiée par un bel arrière-plan (la ligne d'horizon, l'océan à perte de vue, mais aussi une seconde vague en train de se former).

FIGURE 11

Photo Stéphane Champagne
Données techniques Canon 7D; objectif Canon 16-35 mm f2.8; 1/1600 f2.8; 100 ISO

Pour cette autre photo (figure 11) prise avec un grand-angle, le résultat aurait été moins intéressant si Stéphane était resté assis sur sa chaise. Marie-France n'aurait été qu'un point dans la photo. Par ailleurs, des gens sur la plage en avant-plan – et possiblement des baigneurs à proximité de Marie-France – seraient venus « polluer » la photo.

Le photographe a plutôt choisi de se mettre les pieds à l'eau et de suivre la planchiste en herbe. Oui, il y a peut-être d'autres éléments dans la photo (la plage, des baigneurs au loin, etc.), mais l'attention est portée sur Marie-France et la longue vague sur laquelle elle se laisse glisser.

Que ce soit à Cuba, sur la Riviera Maya, les plages grecques ou thaïlandaises, n'ayez pas peur de varier vos prises de vue. Vous vous en féliciterez.

FIGURE 12

DES MILLIONS DE PISSENLITS

But recherché : créer un effet de multiplication. Ce vieux bâtiment agricole (figure 12) bâti en bordure d'un champ près du village de Kamouraska, dans le Bas-Saint-Laurent, est somme toute banal. Photographié avec des pissenlits à l'avant-plan, il devient tout à coup intéressant.

Méthode pour y parvenir : pour cette photo, Bernard a choisi de travailler avec un grand-angle, ce qui vient amplifier la réalité. Autrement dit, en travaillant à la même hauteur que les végétaux, le photographe donne l'impression qu'il y a des millions de pissenlits. La prise de vue permet d'inclure une partie du ciel bleu, lequel vient trancher avec le jaune des fleurs. L'utilisation d'un filtre polarisant permet d'intensifier le bleu du ciel.

Utilisez cette méthode pour photographier un champ de lavande dans le sud de la France ou des tulipes à Ottawa au mois de mai, à l'occasion du Festival canadien des tulipes.

Photo Bernard Brault
Données techniques Nikon D3S; zoom Nikon 24-70mm F2,8; 1/160 F6,3; 100 ISO

FIGURE 13

Photo Bernard Brault
Données techniques Nikon D3S; zoom Nikon 24-70mm F2,8; 1/250 F4,5; 100 ISO

ÉQUITATION

But recherché : toujours varier ses prises de vue. Voyez encore une fois la différence entre le grand-angle et le téléobjectif. Au lieu de choisir entre une photo (où on voit les deux cavalières et le paysage dans lequel elles évoluent) et un portrait permettant de lire l'expression sur le visage de l'une des cavalières, pourquoi ne pas opter pour les deux ?

Méthode pour y parvenir : sur la première image (figure 13), Bernard a photographié ses deux cavalières lors d'une sortie d'équitation à la pourvoirie Daaquam, à Saint-Juste-de-Breton-nière dans la merveilleuse région de Chaudière-Appalaches. Le grand-angle permet de capter les deux sujets de la photo et de bien distinguer dans quel type d'environnement la balade s'effectuait. Les chevaux, les cavalières, l'eau du lac, la forêt, le ciel bleu : tout y est.

Impossible, toutefois, d'identifier qui est sur la photo. C'est pourquoi Bernard a utilisé son téléobjectif pour photographier (figure 14), toujours au même endroit, l'une des cavalières sur sa monture. On n'aperçoit certes plus le ciel, mais on voit très bien qu'il s'agit de la traversée d'un plan d'eau, moment pour le moins enivrant quand on monte à cheval. En prime, la cavalière est tout sourire. Elle ne regarde pas l'objectif : c'est d'ailleurs ce qui fait la force de cette photo.

À cheval dans le Grand Canyon, sur le bord de la mer ou dans un chemin forestier de la Gaspésie, n'ayez pas peur de varier vos prises de vue en travaillant avec votre grand-angle et votre téléobjectif.

FIGURE 14

Photo Bernard Brault
Données techniques Nikon D3S; zoom Nikon
70-200mm F2,8; 1/320 F2,8; 100 ISO

FIGURE 15

FIGURE 16

Photo Bernard Brault
Données techniques Nikon V1, zoom 10-30mm F3,5-5,6; 1/20 F4,5; 100 ISO

GLACIER AU CHILI (PAGES PRÉCÉDENTES)

But recherché: inclure un élément à l'avant-plan. Lorsque l'on effectue une croisière près de l'Antarctique, qui plus est au parc national Torres del Paine, au Chili, il serait malvenu de ne pas utiliser un grand-angle pour immortaliser la scène. Mais une photo prise avec un tel accessoire peut parfois ne pas rendre justice à ce que vos yeux ont eu le privilège de voir seulement une fois dans leur vie.

Méthode pour y parvenir: ici (figure 15), Bernard n'y est pas allé avec le dos de la cuillère. Il a opté pour un très grand-angle de type «fisheye», lequel permet une prise de vue de 180 degrés. L'image est légèrement arrondie, mais le résultat est saisissant. Remarquez, d'ailleurs, la composition de l'image: Bernard a inclus une partie du pont du navire dans sa photo, ce qui donne un aperçu de la dimension des lieux. Une simple prise de vue de la mer et du glacier qui vient terminer sa course dans l'eau aurait certes été intéressante, mais pas aussi forte.

Photo Bernard Brault
Données techniques Nikon D3S; Fisheye Nikon 16mm F2,8; 1/400 F5,6; 400 ISO

FIGURE 17

Photo Bernard Brault
Données techniques Nikon V1, zoom Nikon 70-200mm F2,8; 1/500 F2,8; 100 ISO

LUNE

But recherché : intégrer, ou non, un sujet dans un paysage. On peut inclure son sujet (humain, animal, édifice) dans un tout en utilisant un grand-angle ou l'isoler partiellement en optant pour le téléobjectif.

Méthode pour y parvenir : sur la page de gauche, Bernard a photographié (figure 16) avec un grand-angle la lune sur le point de se coucher, à Les Menuires, en Haute-Savoie, dans les Alpes françaises. Le grand-angle permet de voir qu'on est dans un paysage de haute montagne.

Une vingtaine de minutes plus tard, le photographe a utilisé un téléobjectif (figure 17) au moment où la lune était sur le point de disparaître derrière les montagnes. Il en résulte une image tout aussi intéressante, mais dans laquelle le satellite de la terre devient gigantesque et semble à portée de la main.

Un randonneur sur le sommet d'une montagne, un cycliste sur une route rurale, un couple qui marche sur la plage, un oiseau qui plane dans le ciel : les exemples ne manquent pas où le sujet peut être isolé ou intégré.

FIGURE 18

/55

FIGURE 19

Photo Stéphane Champagne
Données techniques Canon 7D; zoom Canon 70-200 mm f2.8; 1/80 f13; 100 ISO

COUCHER DE SOLEIL (PAGES PRÉCÉDENTES)

But recherché: compresser l'image. Le grand-angle permet de donner une impression d'immensité tandis que le téléobjectif rapproche. En fait, il compresse l'image et offre une perspective que l'œil humain ne peut reproduire.

Méthode pour y parvenir: la revue *National Geographic* a déjà écrit que Kamouraska comptait parmi les plus beaux endroits pour observer les couchers de soleil. Nous en avons ici la preuve. En utilisant un téléobjectif (figure 18) tandis que sa conjointe et ses deux fils faisaient une promenade en bordure du majestueux fleuve Saint-Laurent, Stéphane a capté ce merveilleux coucher de soleil. En réalité, l'astre se trouve, comme on le sait, à des millions de kilomètres de la terre. Mais, grâce au téléobjectif qui permet de compresser l'image, on dirait que le soleil se trouve de l'autre côté du fleuve, derrière les montagnes de Charlevoix.

Photo Stéphane Champagne
Données techniques Canon 7D; zoom Canon 70-200 mm f2.8; 1/400 f5; 100 ISO

FIGURE 20

Photo Stéphane Champagne
Données techniques Canon 7D; objectif Canon 16-35 mm f2.8; 1/250 f4; 100 ISO

BATEAU SUR L'ISLE-AUX-GRUES

But recherché : rapprocher le sujet en arrière-plan. Voici un autre exemple à vous rappeler la prochaine fois que vous désirerez inclure un élément révélateur (monument, édifice, montagne, etc.) en arrière-plan.

Méthode pour y parvenir : sur la page de gauche (figure 19), Stéphane a utilisé un téléobjectif. Le bateau (échoué et abritant un casse-croûte et un bar) semble tout à coup très proche. Pourtant, Marie-France, sa conjointe est à la même distance du bateau que sur la photo prise avec le grand-angle (figure 20). C'est ça, la magie du téléobjectif!

\

URUBU

But recherché : capter un sujet éloigné. Le télé-objectif fait peut-être le bonheur des *paparaz-zis*, mais il fait surtout la joie des photographes désireux de capturer des sujets éloignés, notamment un oiseau, quelqu'un pratiquant un sport ou un enfant s'amusant dans un manège.

Méthode pour y parvenir : lors d'un séjour aux îles Malouines, au large des côtes de l'Argentine, Bernard a photographié cet urubu (figure 21) qui faisait un vol plané. L'utilisation d'un puissant téléobjectif de 300 mm a permis au photographe de bien rapprocher le sujet. Notez l'importance de l'arrière-plan. Il est uniforme (c'est la mer!), ce qui fait ressortir le sujet. En plus, il est flou, car Bernard a travaillé avec une ouverture de f4, c'est-à-dire une grande ouverture.

Photo Bernard Brault
Données techniques Nikon D3S; Nikon 300mm F4,0; 1/2000 F4,0; 200 ISO

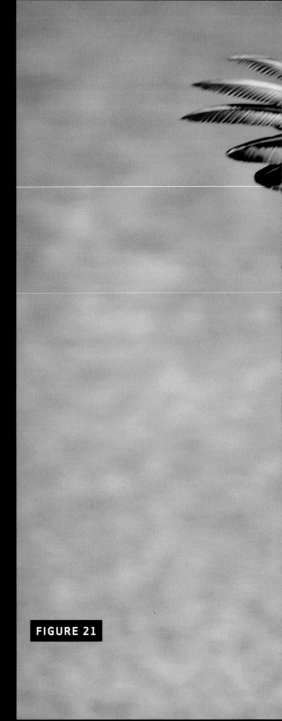

FIGURE 21

Photo Stéphane Champagne, Golf Miner, Granby
Données techniques Canon 7D; objectif Canon
16-35 mm f2.8; 1/250 f5.6; 125 ISO

CHAPITRE 4

Le mode continu

Photo Bernard Brault, Lac St-François, Québec
Données techniques Nikon V1; zoom Nikon 10-30mm
F3,5-5,6; 1/1000 F5,0; 100 ISO

I n'y a pas si longtemps, photographier en mode continu (ou en mode rafale) était l'affaire des pros et de leurs imposants boîtiers. Cette époque est révolue. En effet, à peu près tous les appareils permettent désormais de capter plusieurs images par seconde. Cela laisse plus de latitude aux photographes et permet de mitrailler un sujet pour ensuite choisir la meilleure photo du lot. Mais cela permet également de suivre l'évolution d'un mouvement, voire de raconter une histoire. À vos marques ! Prêts ? Dégainez !

Il n'est pas nécessaire de vous expliquer en détail comment travailler en mode continu. Vous n'avez qu'à sélectionner ce mode sur votre appareil et le tour est joué. Assurez-vous toutefois que la mise au point sur le sujet est adéquate. Autrement, votre série de photos sera hors foyer.

Pour un effet encore plus saisissant, essayez de ne pas bouger votre appareil lors de votre prise de vue. Ainsi, le décor arrière sera le même, seul le sujet sera en mouvement.

Un enfant qui plonge dans la piscine. Votre tendre moitié qui se fait happer par une vague dans la mer ou qui dévale une pente de ski dans les Rocheuses. Ou bien votre sœur qui arrive au sommet du mont Kilimandjaro et qui lève les bras en signe de victoire. Voilà autant de sujets qui peuvent être photographiés en mode continu.

FIGURES 22

PARC AQUATIQUE

Dans ce premier exemple (figures 22), Bernard a photographié des gens sous des torrents d'eau au parc aquatique du Parc Safari, à Hemmingford. « J'ai cadré et j'ai attendu que l'eau tombe sur la tête des gens. La séquence dure deux secondes », explique Bernard.

Photos Bernard Brault
Données techniques Nikon V1, zoom 10-30mm F3,5-5,6; 1/1250 F5,0; 100 ISO

FIGURES 23

CHAPITRE 4

ANNEAU DE GLACE

Ici, Stéphane veut immortaliser son fils Antoine qui apprend à patiner sur un anneau de glace (figures 23). En travaillant en mode continu, le photographe a non seulement enregistré plusieurs images, mais il a également pu raconter une brève histoire : apprendre à patiner quand on a 5 ans, ce n'est pas facile !

Photos Stéphane Champagne
Données techniques Canon 7D; zoom Canon 70-200 mm f2.8; 1/640 f2.8; 100 ISO

FIGURES 24

CHAMONIX

Autre exemple qui parle de lui-même : ce skieur (figures 24) photographié par Bernard à Chamonix. Cette série nous rappelle que même si on est très doué sur des planches, il faut demeurer humble devant le photographe.

Photos Bernard Brault
Données techniques Nikon V1, zoom 30-110mm F3,8-5,6 ; 1/1250 F5,0 ; 100 ISO

FIGURES 25

SURFEUSE EN HERBE

Cette jeune surfeuse en herbe (figures 25) en rigolera un coup dans quelques années lorsqu'elle reverra cette série de photos où elle fait une chute sur une vague artificielle en bordure de la plage des îles Turks-et-Caïcos, dans les Antilles. Heureusement, elle s'en est sortie indemne.

Photos Bernard Brault   **Données techniques** Nikon D3; zoom Nikon 70-200mm F2,8; 1/400 F2,8; 250 ISO

Photo Bernard Brault, Jean-Luc Brassard, Mont Sutton
Données techniques Nikon V1; zoom Nikon 30-110mm F3,8-5,6; 1/800 F4,0; 400 ISO

Une question de vitesse

Photo Bernard Brault, Horseshoe Bay, Bermudes
Données techniques Nikon D3S; Fisheye Nikon 16mm F2,8; 1/500 F7.1; 100 ISO

Utiliser un flash quand la lumière ambiante semble trop faible ou bien s'en remettre aux options que votre appareil photo choisira pour vous peut parfois donner de piètres résultats. La vitesse d'obturation (1/60e de seconde, 1/2000e de seconde, etc.) est quelque chose que bien des photographes ne comprennent pas. C'est simple : plus la vitesse d'obturation est lente (1/4 de seconde, 1/30e de seconde ou encore 3 secondes), plus la lumière entre dans votre appareil. Toutefois, si le sujet bouge devant vous, il ne sera probablement pas net, car la prise de vue est longue. À l'opposé, si votre vitesse d'obturation est élevée (1/500e ou 1/5000 de seconde), moins de lumière entrera dans votre appareil. L'avantage, ici, c'est que la haute vitesse permet de saisir un objet dans le temps : une voiture de Formule 1, une vague dans la mer ou une balle de golf en mouvement seront donc nettes.

Ce chapitre servira à vous expliquer comment la vitesse d'obturation peut jouer à votre avantage lorsque, par exemple, le temps est gris ou voilé, mais aussi comment réaliser des images saisissantes grâce à la haute vitesse. Vous verrez également pourquoi il vaut mieux privilégier une vitesse d'obturation lente plutôt que d'utiliser un flash. Enfin, et cela semble contradictoire, nous vous prouverons qu'il est possible à la fois de travailler en basse vitesse et d'utiliser un flash.

Notez que pour avoir le plein contrôle sur la vitesse d'obturation, il est préférable de travailler en mode manuel, c'est-à-dire en choisissant vous-même tous les réglages (sensibilité ISO, ouverture du diaphragme et vitesse d'obturation). Cela peut sembler laborieux au début, mais dès que vous aurez saisi le rôle (et l'interdépendance) de ces trois réglages, vous aurez le plein contrôle de votre appareil photo.

FIGURE 26

ANNEAUX OLYMPIQUES

But recherché: utiliser la lumière ambiante. Même s'il fait nuit, une photo sera plus réussie si le photographe utilise la lumière disponible plutôt que celle d'un flash.

Méthode pour y parvenir: en souvenir des Jeux olympiques d'hiver 2010 de Vancouver, la ville de Whistler a installé de façon permanente les célèbres anneaux représentant l'événement. Ces anneaux (figure 26) sont éclairés en permanence. Si Bernard avait utilisé un flash (erreur que commettent la plupart des gens), l'arrière-plan aurait été noir simplement parce que le blanc des anneaux aurait absorbé la lumière du flash. En optant plutôt pour une vitesse d'obturation de 1/15e de seconde sans flash et sans trépied, le photographe obtient une image où le décor est visible. Bref, une photo plus agréable à regarder.

Photo Bernard Brault
Données techniques Nikon V1, zoom 10-30mm F3,5-5,6; 1/15 F3,2; 1600 ISO

FIGURE 27

PLANCHISTE DANS LES ROCHEUSES (PAGE PRÉCÉDENTE)

But recherché: créer une ambiance. Un ciel plus ou moins gris où le soleil arrive à peine à percer, voilà qui n'est pas très inspirant? Détrompez-vous, mais ne vous en remettez pas à votre appareil! Celui-ci prendra une lecture dont le résultat sera une photo terne, d'un gris délavé. Jouez plutôt avec la vitesse.

Méthode pour y parvenir: sur cette image d'un planchiste qui se fraye un chemin entre les conifères enneigés dans les Rocheuses (figure 27), Bernard a travaillé avec une grande ouverture (f5,0), mais, surtout, il a choisi une vitesse d'obturation très rapide de 1/6400ᵉ de seconde. Cela lui a permis de créer une photo en contre-jour qui semble avoir été prise tôt le matin ou tard en fin de journée. Il était pourtant 13 h.

Que vous soyez en ski dans les Alpes, en patin sur le canal Rideau, en raquette ou en ski de fond dans les Chics-Chocs et que le soleil brille par son absence, vous n'avez plus d'excuses si vous rapportez des photos ternes en souvenir.

Photo Bernard Brault
Données techniques Nikon V1, zoom 30-110mm F3,8-5,6; 1/6400 F5,0; 200 ISO

CONTRE-JOUR À MADÈRE

But recherché: créer une ambiance en sous-exposant volontairement. Est-il besoin de le rappeler? Il ne faut jamais se décourager, même quand le ciel est gris.

Méthode pour y parvenir: sur ce belvédère de l'île de Madère, au Portugal (figure 28), Bernard a volontairement sous-exposé sa prise de vue. En optant pour une vitesse de 1/500ᵉ de seconde, il a délibérément laissé entrer peu de lumière. Ce faisant, il a créé une photo monochrome. Le résultat ressemble à une ombre chinoise où prédomine la silhouette d'un bel arbre.

Photo Bernard Brault
Données techniques Nikon V1, zoom 10-30mm F3,5-5,6; 1/500 F4,5; 100 ISO

FIGURE 28

FIGURE 29

FIGURE 30

CHAPITRE 5

LA VIERGE DE CADIX

But recherché : encore une fois, créer une ambiance plutôt que de la « tuer » avec un flash. L'exemple qui suit est on ne peut plus révélateur de la façon de massacrer l'ambiance d'une photo avec un flash.

Méthode pour y parvenir : dans cette tour de Cadix où les touristes laissent de l'argent près d'une statue de la Vierge Marie, une fenêtre apportait suffisamment de lumière pour que Bernard puisse prendre une photo à une vitesse de 1/10e de seconde (figure 29). Il a évité de faire ce que la plupart des gens font, c'est-à-dire utiliser un flash (figure 30). Chargé de lumière artificielle, ce lieu perd tout à coup son charme. Bien souvent, c'est l'appareil qui jugera que la lumière est déficiente et, donc, qui déclenchera le flash. Rappelez-vous qu'en mode manuel, c'est vous qui décidez et qui aurez le plein contrôle.

Photos Bernard Brault
Données techniques (figure 29) Nikon V1, zoom 10-30mm F3,5-5,6 ; 1/10 F3,5 ; 100 ISO
Données techniques (figure 30) Nikon V1, zoom 10-30mm F3,5-5,6 ; 1/30 F3,5 ; 100 ISO + flash

ENVELOPPÉ DANS UNE VAGUE

But recherché : saisir l'instant. Travailler en haute vitesse permet de figer dans le temps un moment qui ne dure qu'une fraction de seconde et qui, autrement, aurait été perdu à jamais.

Méthode pour y parvenir : pour travailler en haute vitesse, il faut bien sûr avoir la bonne combinaison ouverture/obturation/sensibilité ISO. Il faut d'emblée beaucoup de lumière, sinon un téléobjectif qui permet une ouverture de f2.8. Dans cet exemple (figure 31), Bernard a photographié un jeune garçon qui semble littéralement enveloppé par une vague sur une plage de Floride. Bernard travaillait en mode continu à 1/800ᵉ de seconde. Sur l'une des photos, un heureux hasard a voulu que le visage du garçon demeure parfaitement visible...

Photo Bernard Brault
Données techniques Nikon D3 ; zoom Nikon 70-200mm F2,8 ; 1/800 F5,6 ; 100 ISO

FIGURE 31

TAPIS TOURNANT

But recherché : créer un effet de mouvement.
Travailler avec une vitesse élevée pour figer les
objets dans le temps, c'est bien, mais opter pour
une vitesse plus lente dans le but avoué d'illustrer
un mouvement, c'est tout aussi intéressant.

Méthode pour y parvenir : ce vendeur de tapis à
Kusadasi, en Turquie, aime en mettre plein la vue
à ses clients potentiels. Bernard l'a photographié
(figure 32) en train de faire tourner un tapis, tel
un artiste de cirque. Le photographe a choisi de
travailler à 1/60 de seconde, ce qui est assez rapide
pour que le vendeur et sa boutique soient nets sur
l'image, mais assez lent pour que le tapis soit en
mouvement. On dirait même que celui-ci tourne à
vive allure.

Photo Bernard Brault
Données techniques Nikon D3S ; zoom Nikon
24-70mm F2,8 ; 1/60 F2,8 ; 250 ISO

FIGURE 32

/85

GLISSADE
AU FÉMININ

But recherché: saisir l'instant… encore! Mine de rien, quand on glisse sur un traîneau ou un tapis-luge, on prend inévitablement de la vitesse. C'est pourquoi travailler avec une vitesse d'obturation élevée permet de bien figer dans le temps les sourires et autres cris de joie provoqués par cette activité.

Méthode pour y parvenir: lors d'une splendide journée de janvier, Stéphane et ses amis se sont éclatés sur une butte dans un parc municipal à Granby. Hélène et sa fille Marie ont particulièrement adoré glisser ensemble. Le photographe a su les immortaliser (figure 33) en optant pour une vitesse de 1/1600e de seconde. L'arrière-plan est immaculé, ce qui nous permet de concentrer notre regard sur les deux femmes et leurs sourires qui témoignent d'un moment de grâce.

Photo Stéphane Champagne
Données techniques Canon 7D; zoom Canon 70-200 mm f2.8; 1/1600 f2.8; 100 ISO

FIGURE 33

SKIER SUR LES EAUX

But recherché : saisir l'instant... toujours ! Quoi de plus merveilleux que de figer dans le temps un mouvement lorsqu'on travaille avec une vitesse d'obturation très élevée.

Méthode pour y parvenir : au printemps, lorsque le temps est plus doux (même en altitude) et que certains plans d'eau commencent à dégeler, certains skieurs n'ayant pas froid aux yeux n'hésitent pas à faire du ski nautique... avec leurs skis alpins. En voyage dans les Alpes françaises, Bernard a photographié ce skieur qui traverse le lac des Loups (figure 34). En travaillant à 1/3200e de seconde, il a réussi à figer dans le temps cette cascade pour la moins inusitée. Même les gouttes d'eau sont nettes. Faites-en l'expérience (pas de traverser un lac en ski, mais plutôt de photographier un sujet en mouvement en très haute vitesse...)

Photo Bernard Brault
Données techniques Nikon V1, zoom 10-30mm F3,5-5,6 ; 1/3200 F4,5 ; 100 ISO

FIGURE 34

Photo Bernard Brault, Amherst, Massachusetts
Données techniques Nikon D4; zoom Nikon 24-70mm F2,8; 1/640 F5; 100 ISO

CHAPITRE **6**

Choisir la bonne photo

Photo Bernard Brault, Plaines d'Abraham, Québec
Données techniques Nikon D4; zoom Nikon
14-24mm F2,8; 1/3200 F4,5; 100 ISO

Depuis l'avènement de la photo numérique, il est possible d'emmagasiner des centaines, sinon des milliers de photos, sur une seule carte mémoire. Il n'y a pas si longtemps, tous les photographes devaient utiliser un film (de la grosseur d'un bouchon de vin en liège) avec lequel on pouvait prendre seulement 12, 24 ou 36 photos. Les temps ont bien changé !

Mais si la pellicule photo existe encore aujourd'hui (on la qualifie de photo « argentique » par opposition à photo « numérique »), tout le monde ou presque utilise un appareil numérique. Et la plupart des gens ne se gênent plus pour mitrailler un sujet. Prendre entre 20 et 100 photos de sa fille qui construit un château de sable sur une plage de Cuba ou de son conjoint qui descend une pente dans la neige poudreuse à Val-d'Isère est presque devenu la norme.

Mais comment choisir la bonne photo lorsqu'on a l'embarras du choix ? Autrement dit, pourquoi privilégier cette photo (qui finira dans un cadre que vous placerez dans votre salon ou sur votre bureau de travail) plutôt qu'une autre ?

Ce chapitre vous aidera à aiguiser votre regard. Le but recherché est donc le même pour chacun des exemples : faire le meilleur choix possible. Ma photo doit-elle être recadrée ? Dois-je choisir celle où il y a du mouvement ? L'arrière-plan est-il parfait ou surchargé ? Autant de questions auxquelles nous nous appliquerons à répondre.

CHAPITRE 6

FIGURE 35

VÉLOS À YALE

Cette série de photos a été prise en l'espace d'une minute et demie à l'Université Yale. At-tiré par les nombreux vélos stationnés, Bernard a tout simplement voulu faire une photo d'ambiance. Mais au moment de sa prise de vue, un cycliste s'est pointé. Voyez comment la photo est nettement plus intéressante grâce à ce jeune homme qui tient son vélo sur une roue (figure 35). Cette photo a été prise avec un téléobjectif, mais avec une ouverture assez petite (f5,6) pour que les vélos soient au foyer, bref, que les sujets à l'avant-plan et à l'arrière-plan ne soient pas trop flous. Notez par ailleurs que la photo a été ultérieurement recadrée afin de supprimer, dans la partie supérieure, un coin de l'immeuble.

Photos Bernard Brault
Données techniques Nikon D4; zoom Nikon 70-200mm F2,8; 1/125 F7,1; 200 ISO

FIGURE 36

PÊCHE DANS LE FLEUVE

Antoine semble imperturbable. Il est à la chasse aux petits poissons, à marée basse, dans le fleuve Saint-Laurent. Stéphane ne lui a pas demandé de prendre la pose. Le photographe a tout simplement utilisé son téléobjectif et pris une quarantaine de photos en l'espace d'à peine deux minutes. Sur certaines images, le garçon a la tête trop penchée; sur d'autres, ses jambes sont droites comme des poteaux. Mais sur la photo que nous avons choisie (figure 36), le pêcheur en herbe donne l'impression d'avoir détecté une prise potentielle. Son pied semble vouloir déplacer quelque chose. La pêche sera-t-elle miraculeuse?

Photos Stéphane Champagne
Données techniques Canon 7D; zoom Canon 70-200 mm f2.8; 1/800 f5/; 100 ISO

FIGURE 37

LE SAUVETEUR DES BAHAMAS

Autre exemple de Bernard, mais présenté de façon différente que les deux séries précédentes. Ici, le photographe n'est pas resté au même endroit : son sujet, en l'occurrence un sauveteur sur la plage de Half Moon Cay, aux Bahamas, était devant lui. En l'espace de 20 secondes, Bernard s'est approché du sauveteur, a reculé, s'est accroupi, a levé son appareil à bout de bras, etc. En clair, il a multiplié les prises de vue. Son choix s'est arrêté sur cette photo (figure 37), principalement parce qu'on voit le sujet de plein pied (ses jambes ne sont pas coupées), mais aussi parce que le sauveteur offre un léger mouvement plutôt que de paraître complètement statique. Les vêtements rouges du sauveteur tranchent avec le bleu du ciel et le turquoise de la mer.

Photos Bernard Brault
Données techniques Nikon D3 ; zoom Nikon 14-24mm F2,8 ; 1/1000 F8,0 ; 100 ISO

Photo Bernard Brault, Îles des Pins, Nouvelle-Calédonie
Données techniques Nikon D3; zoom Nikon 24-70mm
F2,8; 1/640 F6,3; 100 ISO

CHAPITRE 7

Les gens

Photo Bernard Brault, Lisbonne, Portugal
Données techniques Nikon D4; zoom Nikon 70-200mm F2,8; 1/250 F3,2; 80 ISO

En vacances, nous sommes portés à photographier ceux avec qui nous passons du bon temps. C'est un réflexe tout à fait normal. Qui ne veut pas rapporter des souvenirs de ses enfants ou de sa douce moitié dans une ville coloniale du Mexique, sur une plage paradisiaque de la Polynésie française ou encore près des pics enneigés des Alpes suisses ?

On prend certes des vacances pour refaire le plein d'énergie, mais surtout pour changer d'air. Or, pourquoi ne pas en profiter pour changer vos habitudes ? Oui, les monuments, les paysages et la nature des autres pays sont des incontournables à photographier. Mais les gens qui les habitent le sont tout autant, sinon davantage.

Il faut bien évidemment faire preuve de discernement et ne pas mitrailler le premier piéton venu, ni la première dame âgée que l'on croise. Certains peuples et certaines cultures sont allergiques aux appareils photo, surtout si un touriste se cache derrière. La clé : être respectueux et discret. Le téléobjectif (ou le zoom intégré de votre appareil compact) devient ici un précieux allié.

Ce chapitre consacré à la photographie des gens vous donnera quelques pistes quant aux façons de rapporter des souvenirs concrets de ceux qui habitent peut-être très loin, mais qui, au fond, ne sont pas si différents de nous.

FIGURE 38

FIGURE 39

/106

BIENVENUE AUX
TOURISTES (PAGES PRÉCÉDENTES)

But recherché: tromper les apparences. Dans certains pays, il n'est pas rare de voir des gens portant le costume traditionnel prendre la pose pour les touristes en échange de quelques sous. Il n'y a rien de mal à cela. Évitez seulement de prendre la même photo que tout le monde et faites comme si cette photo n'était pas un «attrape-touristes». La bonne nouvelle, c'est que ce type d'arrangement vous permet de vous exercer.

Méthode pour y parvenir: dans le village de Cusco, au Pérou, Bernard a déboursé 1 $ pour photographier cette mère et sa fille (figure 38) dont le travail est de jouer les modèles. La présence du lama ajoute une touche d'authenticité. En travaillant avec une grande ouverture sur son téléobjectif, le photographe laisse délibérément l'arrière-plan flou. Ce n'est certes pas la photo du siècle, mais c'est une très belle image que vous aimerez montrer à vos proches.

Photo Bernard Brault
Données techniques Nikon D3; zoom Nikon 70-200mm F2,8; 1/200 F2,8; 250 ISO

- -

GROSSES PRISES

But recherché: saisir un moment sur le vif. On peut toujours se conditionner à photographier les gens (et non plus seulement sa famille!) quand on est en voyage. Mais ce qui relève du grand art, c'est quand on réussit à immortaliser une image sur le vif.

Méthode pour y parvenir: Bernard était de passage à Manta, ville côtière de l'Équateur, lorsqu'il a vu ces deux hommes (figure 39) transportant d'énormes poissons. Il va sans dire qu'il faut être vite sur la gâchette pour prendre sur le vif ce moment éphémère. Or, c'est exactement ce qu'a réussi Bernard, travaillant en mode continu avec un téléobjectif. Il a donc eu l'embarras du choix après coup. En résulte une image puissante, où les deux hommes marchent d'un même pas.

Photo Bernard Brault
Données techniques Nikon D3; zoom Nikon 70-200mm F2,8; 1/250 F8,0; 100 ISO

FIGURE 40

DEUX COWBOYS (PAGES PRÉCÉDENTES)

But recherché : être discret. Quand on est sur la place publique et que ça grouille de monde, votre téléobjectif est un outil précieux pour qui veut prendre le pouls de la population locale.

Méthode pour y parvenir : rien ne semble vouloir déranger la quiétude de ces deux Mexicains de l'État du Chiapas (figure 40). Ils discutent tout bonnement pendant que Bernard les photographie discrètement avec un téléobjectif. Conseil : évitez de plastronner et d'attirer l'attention avec votre appareil photo. Les gens, habitués à voir des touristes, vous laisseront faire et vous pourrez travailler à votre guise. Petit rappel technique : grande ouverture équivaut à arrière-plan flou. En clair, on élimine la pollution visuelle, dans le cas présent, les badauds.

Photo Bernard Brault
Données techniques Nikon D3; zoom Nikon 70-200mm F2,8; 1/200 F2,8; 100 ISO

LA MASCOTTE

But recherché : saisir un moment authentique. Une scène de la vie quotidienne dans un port grec se déroule sous vos yeux. Qu'attendez-vous ? Sortez votre appareil, surtout s'il s'agit d'une interaction entre un humain et un animal exotique.

Méthode pour y parvenir : soyez toujours à l'affût. C'est sans doute le meilleur conseil que l'on puisse vous donner. Sur cette image (figure 41), Bernard a utilisé un grand-angle pour immortaliser l'interaction entre ce pélican (sorte de mascotte locale à qui tout le monde s'adresse) et ce pêcheur de Mykonos, en Grèce. Le splendide oiseau ne s'est pas fait prier et le pêcheur, sans doute habitué à la présence des touristes, ignore carrément le photographe. N'oubliez pas : la scène est là. À vous de vous immiscer. Détail important : le pélican est photographié de plein pied et n'a ni la tête, ni les pattes coupées.

Photo Bernard Brault
Données techniques Nikon D3; zoom Nikon 24-70mm F2,8; 1/800 F6,3; 100 ISO

FIGURE 41

FIGURE 42

MARIAGE À SANTIAGO

But recherché : profiter du hasard. On dit qu'il fait bien les choses. C'est pourquoi nous vous le répétons, il vous faut être toujours prêt à dégainer. En clair, ne gardez pas votre appareil caché au fond de votre sac.

Méthode pour y parvenir : la journée tirait à sa fin. Bernard et les siens étaient fatigués lorsqu'ils ont entrepris la montée du mont de la Vierge, à Santiago au Chili. La plupart des vacanciers auraient rangé leur appareil. Mais, fidèle à son habitude, Bernard était prêt. À sa grande surprise, il a croisé ce couple de nouveaux mariés (figure 42). Accompagnés des enfants d'honneur, ils semblaient tout droit sortis d'un conte de fées, surtout du fait qu'ils mangeaient tous de la barbe à papa. Bernard en a profité pour les photographier. La lumière était parfaite et l'arrière-plan on ne peut plus spectaculaire.

Photo Bernard Brault
Données techniques Nikon D3S ; zoom Nikon 24-70mm F2,8 ; 1/80 F3,5 ; 100 ISO

LE CONDUCTEUR (PAGES SUIVANTES)

But recherché : attendre le bon moment. Vous avez une idée de photo en tête et vous voulez la faire à tout prix ? Soyez patient !

Méthode pour y parvenir : à Ushuaïa, en Argentine, Bernard voulait photographier le conducteur (figure 43) de ce train qui sillonne la ville la plus méridionale de la planète. Il a attendu que le quai (fort achalandé !) se libère puis a sorti son téléobjectif (et opté pour une grande ouverture, d'où le flou arrière), immortalisant le conducteur qui, à son tour, observait les passagers quitter les lieux. Le hublot à l'avant-plan de même que le reflet du conducteur sur le côté de la locomotive viennent renforcer cette très belle image.

Photo Bernard Brault
Données techniques Nikon D3S ; zoom Nikon 70-200mm F2,8 ; 1/250 F2,8 ; 100 ISO

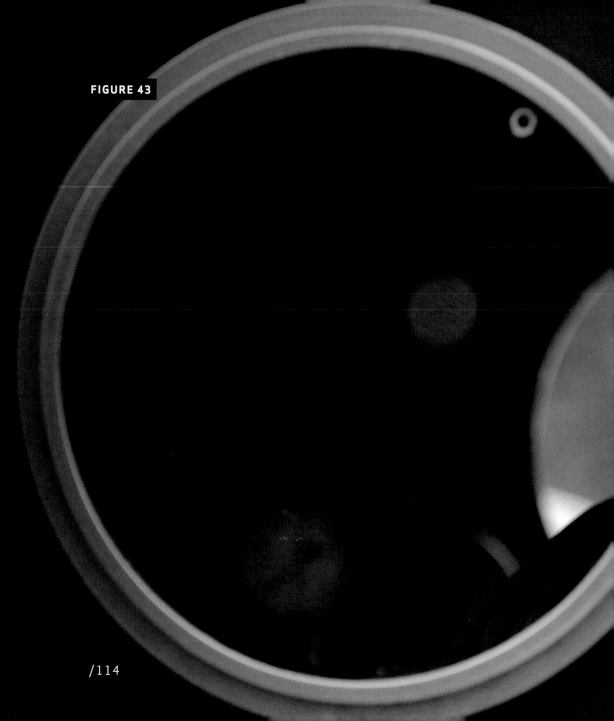

FIGURE 43

DÉCOR HABITÉ

But recherché : rendre vivant un décor urbain. Photographier des paysages urbains, c'est intéressant. Mais y inclure des éléments vivants, c'est beaucoup mieux !

Méthode pour y parvenir : à l'étranger, Bernard aime bien photographier une ville sous tous ses angles. Les paysages urbains sont pour lui un incontournable. Dès que son œil repère un endroit intéressant (par ses couleurs, ses formes géométriques, etc.), il s'installe et attend qu'un humain fasse partie (bien malgré lui !) de la scène. Ici, à Buenos Aires en Argentine, Bernard aimait bien les couleurs vives de l'immeuble. Fidèle à son habitude, il a attendu que cette dame (figure 44) entre dans le cadrage. Il a utilisé un grand-angle. Résultat : tous les éléments dans la photo sont au foyer. Détail : le nom de la rue, en haut à gauche, ajoute une touche à la fois colorée et exotique.

Photo Bernard Brault
Données techniques Nikon D3S; zoom Nikon 24-70mm F2,8; 1/250 F35,6; 100 ISO

FIGURE 44

Photo Bernard Brault, Vieux Québec
Données techniques Nikon D4; zoom Nikon 70-200mm F2,8; 1/20 F4,0; 320 ISO

Les paysages

Photo Bernard Brault, Puerto Montt, Chili
Données techniques Nikon D3S; zoom Nikon 70-200mm F2,8; 1/200 F6,3; 100 ISO

Qu'ils soient aériens, côtiers, montagneux, ruraux ou urbains, les paysages sont probablement le sujet le plus photographié par les vacanciers. La planète regorge d'endroits merveilleux. Et nul besoin de faire 14 heures d'avion pour s'en rendre compte. Parfois, les plus beaux paysages sont à un jet de pierre de la maison.

Mais il est vrai que les Antilles, le Bas-Saint-Laurent, l'Himalaya ou encore la Nouvelle-Angleterre sont, entre autres exemples, riches en paysages inspirants. Des pics enneigés, des couchers de soleil, des chemins forestiers, du sable blond qui émane d'une eau turquoise : les points de vue ne manquent pas.

Dans ce chapitre, nous vous expliquerons comment rendre justice aux paysages que vous aurez le privilège (et le réflexe, nous l'espérons) d'immortaliser grâce à votre appareil photo. L'ensemble des chapitres précédents vous y a sûrement bien préparé. Il n'empêche que certains rappels sont toujours les bienvenus.

Varier ses prises de vue, bien cadrer son sujet, jouer avec les formes, ajouter de l'action ou de la vie dans sa photo, respecter la règle des tiers ou savoir profiter d'occasions uniques sont autant d'exemples qui vous aideront à réussir vos photos de paysages.

FIGURE 45

PIC DE L'OURS

But recherché : rendre une photo vivante. Inclure une silhouette humaine permet d'ajouter une tout autre perspective à une photo.

Méthode pour y parvenir : lors d'une sortie sur le mont Alfred-Desrochers, dans le massif d'Orford, Stéphane a voulu immortaliser une vue imprenable sur les Appalaches. Sur la photo de gauche (figure 45), on ne voit que les montagnes, ce qui est intéressant en soi. Mais en y ajoutant la silhouette d'un randonneur (figure 46), l'image gagne en esthétisme. Le photographe a travaillé avec un court téléobjectif de 70 mm à une ouverture de f22. Il n'y a donc aucune profondeur de champ. La silhouette est opaque, puisque le sujet reçoit le soleil de biais. Mais les sommets au loin demeurent clairs. D'ailleurs, notez que plus les sommets sont loin, plus ils sont pâles.

Photos Stéphane Champagne
Données techniques Canon EOS 10D; zoom Canon 70-200 mm f2.8; 1/800 f22/; 100 ISO

FIGURE 46

FIGURE 47

FJORD MULTICOLORE (PAGES PRÉCÉDENTES)

But recherché : profiter d'un moment éphémère. Les paysages peuvent parfois nous réserver des surprises qui ne durent qu'un bref instant. À vous d'en profiter.

Méthode pour y parvenir : lors d'une croisière dans le sud du Chili, Bernard arpentait le pont du navire de croisière qui voguait entre les escarpements d'un impressionnant fjord. Le ciel était brumeux et la mer légèrement agitée. Contre toute attente, un arc-en-ciel s'est formé au loin (figure 47). Le photographe n'a fait ni une ni deux et a dégainé son téléobjectif. Notez la composition de l'image : l'arc-en-ciel qui couvre un peu plus des deux tiers de la photo, le phare sur l'îlot, de même que les montagnes en arrière-plan. Autre détail à ne pas oublier : la ligne d'horizon n'est pas au centre de l'image.

Photo Bernard Brault
Données techniques Nikon D3S ; zoom Nikon 70-200mm F2,8 ; 1/1000 F3,5 ; 100 ISO

AUX « ZÉTATS »

But recherché : miser sur un symbole. New York et ses gratte-ciel, Paris et sa tour Eiffel, Québec et son château Frontenac. Inclure un symbole dans une photo de paysage est relativement simple. Laissez aller votre imagination.

Méthode pour y parvenir : amoureux fou de l'État du Maine, le regard de Stéphane a été attiré par ce parasol aux couleurs de l'Oncle Sam (figure 48). Pas de doute à y avoir : on sait sur-le-champ qu'on se trouve sur une plage des États-Unis. Profitant d'une belle lumière de fin de journée, le photographe a utilisé un « lensbaby », un objectif permettant de créer des flous artistiques. Ici, le foyer (ou focus) est mis sur le parasol. La vacancière qui traverse le tableau donne un effet de mouvement. À considérer aussi : la règle des tiers parfaitement respectée avec le sable, l'eau et le ciel.

Photo Stéphane Champagne
Données techniques Canon 7D ; objectif Lens Baby ; 1/1000 f5.6 ; 100 ISO

FIGURE 48

FIGURE 49

FIGURE 50

MER DE GLACE (PAGES 128 ET 129)

But recherché : profiter de la vue aérienne. Photographier des paysages quand on est à 10 000 mètres d'altitude, c'est le pied. Et ça n'arrive pas tous les jours.

Méthode pour y parvenir : ne vous assoyez pas près de l'allée mais plutôt près du hublot pour être aux premières loges. Ici, Bernard survole un glacier près de Juneau, en Alaska (figure 49). Pour compenser les vibrations de l'avion, il a travaillé avec une vitesse d'obturation élevée (1/1000e de seconde). Enfin, il a utilisé un grand-angle pour montrer l'étendue du paysage. Vous pouvez varier vos prises de vue en incluant, par exemple, une partie de l'aile de l'avion. De plus, selon l'orientation du soleil, vous pouvez voir la silhouette de l'avion au sol. L'effet est assez percutant.

Photo Bernard Brault
Données techniques Nikon D3S; zoom Nikon 24-70mm F2,8; 1/1000 F4,0; 100 ISO

ÉOLE EN HIVER (PAGES PRÉCÉDENTES)

But recherché : montrer l'immensité. Un paysage, c'est bien beau. Mais à défaut d'être exceptionnel, un paysage est plus intéressant lorsqu'il contient un ou plusieurs éléments, que ce soient des arbres, un bateau, une ou plusieurs personnes, etc. Cela aide à mesurer l'étendue des lieux.

Méthode pour y parvenir : Stéphane roulait sur l'autoroute 40 en direction de Montréal par un bel après-midi de février. Lorsqu'il a vu des dizaines d'amateurs de sport aérotracté (les sports de glisse où les gens utilisent la traction d'un cerf-volant pour se déplacer) qui s'éclataient sur le lac Saint-Pierre (figure 50), entre Sorel et Trois-Rivières, il a craqué. Afin de ratisser le plus large possible, le photographe a utilisé un grand-angle (12 mm). Puisqu'il avait le soleil en plein visage, il a opté pour une petite ouverture (f19) et une vitesse d'obturation relativement rapide (1/350e de seconde). Autres détails : le ciel bleu permet de mettre l'accent sur les multiples couleurs des voiles utilisées par les disciples d'Éole. Les ombres des skieurs à voile créent par ailleurs un effet de mouvement. Notez le respect de la règle des tiers (1/3 de glace, 2/3 de ciel).

Photo Stéphane Champagne
Données techniques Canon EOS 30D; objectif Sigma 12-24 mm f4.5-5.6; 1/350 f19 100 ISO

FIGURE 51

LE PARADIS

But recherché : encadrer le sujet. Pourquoi se contenter de simplement photographier un sujet quand il est également possible de l'encadrer ?

Méthode pour y parvenir : quand on regarde bien autour de soi, on peut créer un cadre naturel avec à peu près n'importe quoi, comme ici aux Bahamas (figure 51). Bernard ne s'est pas contenté de photographier depuis la plage le bateau de croisière sur lequel il naviguait. Le photographe s'est reculé et a fait sa prise de vue à travers une arche envahie par des bougainvilliers et des hibiscus. Le contraste est frappant entre le bleu du ciel, le rose des fleurs, le turquoise de la mer et le blanc du bateau. Grâce à une petite ouverture de f6.3, les fleurs, de même que le bateau qui est pourtant situé à des centaines de mètres, sont au foyer.

Photo Bernard Brault
Données techniques Nikon D1X; zoom Nikon 24-70mm F2,8; 1/320 F6,3; 100 ISO

FIGURE 53

/134

Photo Stéphane Champagne
Données techniques Canon EOS 30D; objectif Sigma 12-24 mm f4.5-5.6; 1/40 f8 200 ISO

FIGURE 52

Photo Stéphane Champagne
Données techniques Canon 7D; objectif Sigma 12-24 mm f4.5-5.6; 1/320 f14 100 ISO

PROMENADE À L'INFINI

But recherché: créer une ligne de fuite. Pourquoi interrompre un mouvement quand il est possible (et relativement facile) de créer une impression d'infini?

Méthode pour y parvenir: sur ces deux images prises respectivement à L'Isle-Verte (figure 52) et au marais Maskinongé (figure 53), Stéphane illustre à merveille comment créer une ligne de fuite. Pour ce faire, il effectue sa prise de vue en attirant notre œil au centre de la photo qui, ici, est amplifiée tantôt par un chemin, tantôt par une passerelle qui semblent ne jamais finir. Dans chaque image, la randonneuse donne une idée de grandeur au paysage. Enfin, la vue en plongée est rendue possible grâce à l'appareil photo installé sur un monopied tenu à bout de bras par le photographe.

FIGURE 54

TCHOU TCHOU COLORÉ

But recherché : ajouter de l'action au paysage. De simples détails peuvent faire une grande différence entre une photo banale et une photo réussie.

Méthode pour y parvenir : lors d'un séjour en Argentine, Bernard a photographié ce train (figure 54) menant à Ushuaïa, la ville la plus méridionale de la planète. Le sujet principal (le train écarlate) ressort par rapport au décor presque monochrome. Notez comment le train se dirige vers le centre de l'image. Enfin, la fumée blanche qui s'échappe de la locomotive ajoute du mouvement. L'utilisation d'un télé-objectif court (70 mm) et le choix d'une ouverture relativement petite (f5) permettent à tous les éléments de la photo d'être au foyer.

Photo Bernard Brault
Données techniques Nikon D3S; zoom Nikon 70-200mm F2,8; 1/250 F5,0; 100 ISO

LA GROSSE POMME

But recherché : jouer avec la symétrie. Que ce soit la forme des arbres ou des gratte-ciel, il est toujours possible – et même avantageux – de composer son image en fonction des formes qui se présentent dans un paysage.

Méthode pour y parvenir : quel meilleur endroit que la rivière Hudson pour photographier la Grosse Pomme en fin de journée quand le soleil frappe les gratte-ciel. Ici, Bernard a attendu que le nouvel édifice du One World Trade Center (en construction à l'époque) se dresse au milieu de la photo. En résulte une image (figure 55) où les immeubles offrent une perspective symétrique, allant du plus petit au plus grand ou inversement. Un téléobjectif court (70 mm) permet de ratisser large et, donc, de garder au foyer l'ensemble des immeubles sur lesquels règne une lumière presque parfaite.

Photo Bernard Brault
Données techniques Nikon D3S ; zoom Nikon 24-70mm F2,8 ; 1/640 F3,2 ; 100 ISO

FIGURE 55

/139

Photo Bernard Brault, Amherst, Massachusetts
Données techniques Nikon D4; zoom Nikon 14-24mm F2,8; 1/250 F10; 50 ISO

Variations sur un même thème

Photo Bernard Brault, Los Cabos, Mexique
Données techniques Nikon D3; zoom Nikon 70-200mm F2,8; 1/640 F4,5; 100 ISO

/142

S e choisir un thème est, à notre avis, une façon amusante et, donc, pas du tout contraignante de prendre des photos pendant ses vacances. Ainsi, vous n'aurez plus d'excuses à donner – «J'avais oublié mon appareil à l'hôtel!» – quand on vous posera mille et une questions sur les endroits où vous avez séjourné.

Photographier des ponts, des détails architecturaux, des plaques d'immatriculation, des pieds dans le sable, des kiosques de souvenirs, des vendeurs itinérants, des auto-patrouilles de police, des parasols, bref tout ce qui vous passe par la tête, est un défi intéressant à relever. Que ce soit seul, en couple, en famille ou entre amis.

Et plus vous visiterez d'endroits, plus vous pourrez accumuler d'images sur un même thème. Vous pourrez ainsi créer des montages (encadrés, laminés, etc.). Une façon originale d'habiller les murs de votre demeure.

Voici quelques exemples de thèmes que Bernard affectionne particulièrement et qu'il ne cesse d'enrichir à chacun de ses voyages.

PLAQUÉ

Photographier des voitures est une option. Mais une Mercedes à Montréal ou sur la Riviera Maya, ça demeure une Mercedes. C'est pourquoi Bernard a plutôt choisi de collectionner les plaques d'immatriculation de chacun des pays qu'il visite un peu partout dans le monde. C'est coloré, exotique et très original.

Photos : Bernard Brault
Toutes les photos prises avec appareil Nikon D3 et zoom Nikon 70-200mm F2,8 ; différentes expositions et ISO.

ARGENTINA
HJH 155

F 496G
The Falkland Islands Company Ltd.

SBK · 1349
URUGUAY

GR IKY·3732

BC·LV·64
CHILE

BERMUDA
SELAH
/145
ANOTHER WORLD

CHAMBRES AVEC VUE

C'est un endroit par lequel on regarde plusieurs fois durant ses vacances. Pourtant, rares sont les photographes qui prennent le temps de photographier la vue qu'ils ont de leur chambre d'hôtel ou de la cabine d'un navire de croisière. Inspiré par ce qu'il avait vu dans un magazine de voyage, Bernard prend toujours quelques clichés (de jour ou de nuit) de la vue que sa chambre ou sa cabine lui offre sur le monde. Les scènes varient énormément : du décor kitsch au paysage urbain en passant par des vues spectaculaires sur des sommets enneigés.

Photos : Bernard Brault
Toutes les photos des pages 146 à 149 prises avec appareil Nikon D3 et objectifs Nikon ; différentes expositions et ISO.

VARIATIONS SUR UN MÊME THÈME

SOUVENIRS COLORÉS

On ne le répétera jamais assez : les marchés publics regorgent de sujets à photographier. C'est un endroit des plus inspirants pour les amateurs de photographie. Et comme il y a toujours un marché public, peu importe où vous séjournerez, vous ne serez jamais à court de sujets. Étals de fruits et de légumes, de poissons, de viandes. Ou encore de souvenirs, de cadeaux, de symboles religieux. Et pourquoi ne pas photographier les commerçants, tout sourire, en train de brasser des affaires ou de vous vendre quelque chose ?

Photos : Bernard Brault
Toutes les photos des pages 150 à 153 prises avec appareil Nikon D3 et objectifs Nikon ; différentes expositions et ISO.

VARIATIONS SUR UN MÊME THÈME

CHAPITRE 9

VARIATIONS SUR UN MÊME THÈME

Photo Stéphane Champagne, Grande-Entrée, Îles-de-la-Madeleine
Données techniques Canon 10D; objectif Sigma 12-24 mm f4.5 - 5.6; 1/180 f22; 100 ISO

Composer avec les éléments

Photo Stéphane Champagne,
Parc national du mont Mégantic
Données techniques Canon 7D;
objectif Sigma 12-24 mm
f4.5 – 5.6; 1/100 f4; 100 ISO

L e froid, la pluie, les nuages ou même la neige ne devraient pas ralentir vos ardeurs de photographe. Même si nous rêvons tous d'un ciel bleu en vacances, il n'y a toutefois pas de raisons pour laisser votre appareil photo de côté quand la météo se fait plus capricieuse.

Bien sûr, la pluie n'est pas le meilleur ami d'un appareil photo. Et le froid a cette vilaine habitude de mettre rapidement les piles à plat. Qu'à cela ne tienne, traînez un parapluie en cas d'averse ou tenez votre appareil au chaud, sous votre manteau ou enveloppé dans un sac à dos, quand le mercure descend trop bas.

Prendre des photos uniquement en été ou quand il fait beau et chaud, c'est limiter ses souvenirs. Une journée de ski sous les flocons ou sous un soleil de février quand il fait 20 degrés sous zéro, ça fait aussi partie des vacances. Une foule bigarrée avec des parapluies dans un centre-ville ou un randonneur sur un chemin forestier plongé dans un brouillard à couper au couteau le sont tout autant.

Passons de la parole aux actes et permettez-nous de vous présenter quelques exemples de photos prises quand les conditions n'étaient pas les plus optimales. Il en résulte des images originales. Le jeu en valait donc la chandelle. Oui, nous avons parfois eu les doigts gelés et nos vêtements ont été, en certaines occasions, un peu trempés. Mais nous avons survécu. Et notre matériel photographique aussi.

SOUS LA NEIGE

Durant le congé des Fêtes, Stéphane et les siens aiment bien patiner. Surpris par de soudaines et très fortes précipitations de neige, le photographe a immortalisé l'instant. Sur cette image (figure 56), un couple de patineurs initie leur garçon aux joies de la saison froide. Une vitesse d'obturation élevée (1/1600e de seconde) permet de fixer les flocons dans le temps. Et même s'il était plus de 15 h, une sensibilité d'ISO 250 faisait amplement l'affaire. Autrement dit, le blanc de la neige réfléchit beaucoup la lumière, même par temps gris.

Photo Stéphane Champagne
Données techniques Canon 7D; zoom Canon 70-200 mm f2.8; 1/1600 f4.5; 250 ISO

FIGURE 57

Il neigeait en grande quantité à la station de ski de Stoneham, près de Québec. Cela n'a pas empêché Bernard de photographier ces skieurs prenant place dans un télésiège (figure 57). Notez combien les vêtements colorés des amateurs de glisse contrastent par rapport au décor monochrome de la neige. Même si photographier un sujet dans la neige est relativement difficile, le foyer (ou focus) se fait parfois sur les flocons plutôt que sur le sujet, d'où notre suggestion de faire le foyer de façon manuelle. Cela donne des images où l'ambiance vous fera aimer l'hiver encore plus.

Photo Bernard Brault
Données techniques Nikon D3S; zoom Nikon 70-200mm F2,8; 1/800 F2,8; 250 ISO

SOUS LA PLUIE

Oser se mouiller a été salutaire pour Bernard. Non seulement a-t-il réussi à capter ce cycliste (figure 58) sous une pluie diluvienne, mais sa photo lui a valu le prix Antoine Désilets dans un concours de photo journalistique. Le photographe était à pied sur la rue Ontario, à Montréal, quand un violent orage estival a éclaté. Au lieu de se réfugier dans sa voiture, Bernard s'est abrité sous une affiche. Réalisant qu'il avait devant lui un décor surréaliste, il a augmenté son ISO à 1600. Il a ensuite aperçu son sujet et l'a mitraillé à 1/125e de seconde. Le hasard a fait qu'une voiture s'approchait du cycliste, ce qui apporte une très belle touche lumineuse.

Photo Bernard Brault
Données techniques Nikon D3S; zoom Nikon 200-400mm F4,0; 1/125 F4,0; 1600 ISO

FIGURE 58

/161

FIGURE 59

DANS LE FROID

Il est vrai que sortir son appareil quand il fait très froid n'est pas la chose la plus tentante. Pourtant, si Stéphane s'était retenu, il serait passé à côté de ce magnifique paysage des Îles-de-la-Madeleine. Il s'est littéralement promené sur le fleuve (figure 59) avec sa conjointe et un guide accompagnateur. Les randonneurs bien emmitouflés, la glace, les traces dans la neige, les ombrages et le soleil bas à l'horizon sont autant d'éléments qui nous rappellent combien l'hiver est certes froid (ici, -15 degrés), mais également une saison exceptionnelle. Encore une fois : vitesse d'obturation relativement rapide (1/180e de seconde) et très petite ouverture de f22.

Photo Stéphane Champagne
Données techniques Canon EOS 10D ; objectif Sigma 12-24 mm f4.5-5.6 ; 1/180 f22 ; 100 ISO

COMPOSER AVEC LES ÉLÉMENTS

00:46

Photo Bernard Brault, Jay Peak, Vermont
Données techniques IPhone 5; objectif 4,1mm;
1/60 F2,4; 50 ISO

Une révolution nommée téléphone

Photo Bernard Brault, Jay Peak, Vermont
Données techniques IPhone 5;
objectif 4,1mm; 1/20 F2,4; 50 ISO

/166

es téléphones intelligents sont en train de changer radicalement notre rapport à la photographie. Personne ne semble avoir vu venir la déferlante de la photo numérique 2.0. Ces téléphones sont tellement populaires et de plus en plus performants que certains affirment que cette nouvelle plate-forme est en voie de détrôner les appareils photo compacts.

« Des photographes professionnels m'ont dit que le meilleur appareil photo, c'est celui qu'on a sous la main. Les fabricants de téléphones l'ont compris et ne cessent d'améliorer, d'une génération à l'autre, les options photo de leurs appareils », explique Bruno Guglielminetti, directeur de la communication numérique au cabinet de relations publiques National et spécialiste des nouvelles technologies de l'information et des communications.

Bref, les téléphones intelligents qui, il y a moins de 10 ans, permettaient de prendre des images médiocres d'un million de pixels sont désormais munis de capteurs variant entre 8 et 13 millions de pixels. Nokia (qui a été le premier à offrir l'option photo sur les téléphones cellulaires) a même développé un téléphone doté d'un capteur de 41 millions de pixels.

Apple, BlackBerry, Samsung, Nokia et autres Sony ne cessent en effet de rivaliser d'ingéniosité pour permettre aux utilisateurs de prendre de meilleures photos. Prises de vue panoramiques ou HDR; mode rafale qui, dans certains téléphones, permet de corriger un visage aux yeux fermés; plus grande sensibilité en situation de faible éclairage, etc., sans oublier la possibilité de partager ses photos sur-le-champ avec le reste de la planète.

Signe des temps, des universités et des collèges enseignent désormais l'art de la photographie avec un… téléphone. On ne compte plus le nombre de concours ou

Un photographe du quotidien britannique *The Guardian* a poussé l'exercice à son paroxysme en couvrant les Jeux Olympiques de Londres avec son iPhone. Celui-ci, faut-il préciser, était muni de différents gadgets, dont l'ajout d'objectifs adaptés.

D'ailleurs, les nombreuses applications disponibles ne sont pas étrangères au «buzz» entourant la photographie avec les téléphones intelligents. L'application la plus connue, Instagram, permet de retravailler une photo, notamment par l'ajout de filtres. Dans certains cas, la photo est méconnaissable. Ne reste plus qu'à la partager.

Vraiment, les téléphones intelligents prennent du galon. Mais il serait faux de croire qu'ils ont supplanté les appareils photo, peu importe qu'il s'agisse d'un modèle compact, hybride ou reflex.

Daniel Limoges, formateur aux ateliers chez Lozeau, à Montréal, reconnaît que les téléphones gagnent en popularité. «Oui, ça gruge des parts de marché, mais ça ne remplace pas un appareil photo. Plusieurs clients possédant un téléphone intelligent nous disent continuer à utiliser leur appareil photo, tout simplement parce que ça leur permet de pousser leur expérience de la photo-graphie encore plus loin», explique-t-il.

D'ailleurs, les fabricants comme Canon, Nikon ou Samsung n'ont pas dit leur dernier mot. «Ils ont intégré la technologie wi-fi à certains modèles. Ce qui fait que les photographes peuvent partager leurs images instantanément. C'est un pied de nez aux fabricants de téléphones», dit en riant Daniel Limoges.

À notre avis, les téléphones intelligents ont un bel avenir devant eux. Mais ils ne sont pas parfaits, du moins pas pour l'instant. Chaque modèle a ses forces et ses faiblesses. Voici donc le pour et le contre de la photo avec ce type de plateforme ainsi que quelques conseils.

POUR

Compacts. Accessibles en tout temps. Rapides pour partager des images. Qualité surprenante sur certains nouveaux modèles. Options de plus en plus intéressantes : panorama, HDR, correction des yeux fermés, rafale, etc.

CONTRE

Options encore limitées. Sauf erreur, peu ou pas de téléphones permettent de contrôler manuellement la vitesse d'obturation et l'ouverture du diaphragme. Impossible ou presque de faire des photos d'action. Qualité réduite en basse lumière. Mise au point quelquefois peu compréhensible. Pas de zoom de qualité : le zoom est numérique et non optique.

TROIS CONSEILS DE BASE

Travaillez à l'horizontale. Tout le monde a le réflexe de tenir son appareil à la verticale pour prendre des photos. Variez donc vos prises de vue en couchant votre téléphone à l'horizontale, surtout quand vous photographiez un paysage, un groupe d'amis, etc.

Appliquez les mêmes règles que si vous preniez des images avec un appareil photo : cadrez bien le sujet, évitez la pollution en arrière-plan, osez des prises de vue différentes, n'hésitez pas à prendre plusieurs photos du même sujet, recherchez la spontanéité, etc.

Imprimez et stockez vos photos. Partager ses photos sur Facebook ou Twitter, c'est fantastique mais pourquoi ne pas en profiter et envoyer vos photos chez vous, dans votre ordinateur ? Vous pourrez ainsi en imprimer des copies et, ultimement, les stocker sur un disque dur ou un DVD. Gardez en tête qu'en cas de pépin (vous égarez ou on vous vole votre téléphone), tous vos souvenirs de vacances seront perdus à jamais.

ESCAPADE AU PARC AQUATIQUE

FIGURE 60

L'une des options les plus intéressantes sur les téléphones intelligents est sans contredit le mode panoramique. Ici (figure 60), Bernard n'a eu qu'à maintenir son doigt sur le déclencheur tout en balayant l'horizon. Tout le site des glissades d'eau intérieures à Jay Peak, au Vermont, a ainsi été capturé. La plupart des téléphones permettent de ratisser large, certains jusqu'à 360 degrés.

Photo Bernard Brault
Données techniques IPhone 5; objectif 4,1mm; 1/145 F2,4; 200 ISO

FIGURE 61

Dès qu'on a compris le fonctionnement de son téléphone, on peut laisser aller son imagination. Sur cette image d'un enfant qui fait de la planche sur une vague artificielle (figure 61), Bernard a pris soin de bien cadrer son sujet. Le garçon est au cœur de l'image. Il détone par rapport au blanc de l'eau. Note: il n'y a pas de pollution dans l'image. La vitesse d'obturation, qui s'est ajustée automatiquement à 1/120e de seconde, est suffisante pour que le visage de l'enfant soit relativement net.

Photo Bernard Brault
Données techniques IPhone 5; objectif 4,1mm; 1/120 F2,4; 64 ISO

CHAPITRE 11

FIGURE 62

Autre option pratique : le mode HDR présent sur la plupart des appareils photo. Les fabricants de téléphones ont eu la sagesse de l'intégrer à leurs produits. Le HDR, ou imagerie à grande gamme dynamique, permet de mémoriser de nombreux niveaux d'intensité lumineuse. Autrement dit, l'appareil (ou le téléphone dans ce cas-ci) prend trois photos à différentes expositions (normale, sous-exposée et surexposée). Les photos sont ensuite superposées. Ce qui permet, dans la présente image (figure 62), de très bien voir à travers les vitres du parc aquatique. Logiquement, l'appareil aurait basé sa demande en lumière sur le surfeur en herbe, ce qui aurait rendu l'extérieur surexposé, donc blanc.

Photo Bernard Brault
Données techniques IPhone 5 ; objectif 4,1mm ; 1/120 F2,4 ; 50 ISO

Léger, compact, le téléphone intelligent permet de prendre des photos sur le vif. Notez la composition de l'image (position de la silhouette, flotteurs gonflables, contraste avec le béton et le jaune des flotteurs), de même que le regard de côté de la demoiselle (figure 63). Une belle photo d'atmosphère.

Photo Bernard Brault
Données techniques IPhone 5; objectif 4,1mm; 1/40 F2,4; 64 ISO

FIGURE 63

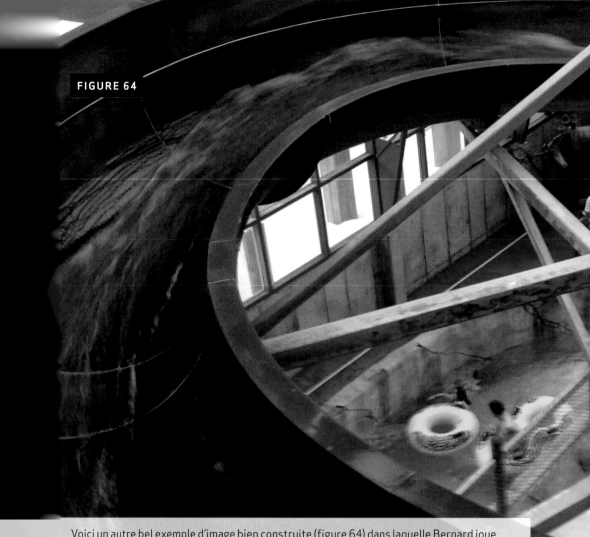

FIGURE 64

Voici un autre bel exemple d'image bien construite (figure 64) dans laquelle Bernard joue avec les formes. Les courbes des glissades d'eau sont au cœur de la photo. La personne qui glisse est floue car le photographe ne pouvait malheureusement pas régler sa vitesse d'obturation. Dans ce cas-ci, on se console car cela crée un effet de mouvement intéressant.

Photo Bernard Brault
Données techniques IPhone 5; objectif 4,1mm; 1/30 F2,4; 50 ISO

LUMIÈRE NATURELLE

Parce que leur capteur est plus petit et qu'ils sont, pour la plupart d'entre eux, moins performants lorsque les conditions lumineuses sont plus faibles, les téléphones intelligents aiment beaucoup la lumière naturelle. Au grand jour, ils sont particulièrement performants. Bernard nous le prouve sur cette photo (figure 65) prise en fin de journée au club de golf Le Parcours du Cerf, à Longueuil. Même si ce cerf (un vrai!) demeure loin (l'utilisation du zoom numérique n'y aurait rien changé), on devine très bien sa silhouette à contre-jour. Le soleil à travers le feuillage atténue la lumière et ajoute une touche de fantaisie à l'image.

Photo Bernard Brault
Données techniques IPhone 3GS; objectif 3,8mm; 1/700 F2,8; 64 ISO

FIGURE 66

CONTRE-JOUR

Autre exemple d'une utilisation sur le vif d'un téléphone et dont les résultats sont probants :
la silhouette de Mathilde prise en fin de journée par un bel après-midi de janvier (figure 66).
Le photographe a fait sa lecture sur le ciel; la silhouette de la demoiselle est donc à contre-
jour. Ce qui donne lieu à une image intéressante et bien construite.

Photo Bernard Brault
Données techniques IPhone 3GS; objectif 3,8mm; 1/717 F2,8; 64 ISO

INSTAGRAM POUR TOUS

Il existe une pléthore d'applications par lesquelles on peut modifier ses photos prises avec un téléphone intelligent. Instagram est sans doute la plus populaire actuellement et, en plus, elle est gratuite. Cette application permet d'ajouter des filtres, ce qui, par la même occasion, change l'allure d'une photo.

Dans ce premier exemple (figures 67 et 68), Bernard ajoute quelques filtres à cette photo d'une mascotte à la Fête des neiges de Montréal. En résulte une photo au style rétro. Notez que toutes les images traitées avec Instagram sont recadrées en format carré.

Autre exemple d'utilisation d'Instagram : cette prise de vue du centre-ville de Montréal à partir de l'île Sainte-Hélène (figures 69 et 70). Notez combien la photo carrée (donc traitée) offre une allure digne des années 1970. C'est comme si la perfection associée à la photo numérique avait donné naissance à une forme de nostalgie où l'on célèbre les photos moins parfaites des années 1970-1980.

FIGURE 69　　**FIGURE 70**

FIGURE 67

FIGURE 68

Photo Bernard Brault 1976, Exposition Universelle, île Ste-Hélène
Données techniques Canon FTB, objectif Canon 50mm F1,8 sur diapositive

La photo de vacances d'hier, d'aujourd'hui et de demain

Avant l'avènement de la photo numérique, au tournant des années 2000, la photo de vacances était plus laborieuse et, surtout, beaucoup plus onéreuse. Laborieuse, car il fallait traîner avec soi des dizaines de pellicules photo sous forme de bobines un peu plus grosses qu'un bouchon de liège.

Une bobine (on disait aussi « un film ») permettait de faire 12, 24 ou 36 photos. Imaginez, pour faire 720 photos, il vous fallait 20 bobines de 36 poses! Bref, cela prenait beaucoup de place dans les bagages.

L'exercice était également onéreux, car à 20 $ le film de 36 poses (10 $ pour la bobine et 10 $ pour le développement), il en coûtait près de 400 $ pour 720 photos. Et à ce prix-là, vous n'aviez même pas de copie papier, fût-ce en format 4 x 6.

Aujourd'hui, avec une telle somme, on peut s'acheter un appareil photo (qui, en plus, fait de la vidéo en haute définition), de même qu'une carte mémoire de 16 GO pouvant contenir jusqu'à 2000 photos.

Actuellement, les appareils reflex, les appareils compacts de même que les téléphones intelligents font l'affaire des photographes en vacances. Mais selon Daniel Limoges, chez Lozeau à Montréal, les appareils hybrides (ces petits appareils sur lesquels on peut changer les objectifs) ont actuellement le vent dans les voiles.

« Ça offre l'avantage d'un compact, car c'est plus petit, mais la polyvalence d'un reflex. Et les capteurs sont, dans la majorité des cas, plus performants que sur les compacts. Olympus et Panasonic avaient donné le ton, Nikon a suivi. Canon, qui se faisait attendre, vient de s'y mettre aussi », explique M. Limoges.

Voici, selon lui, quelques modèles à retenir : Nikon V1 (et bientôt le nouveau V2); NEX-7 de Sony; Olympus OMD EM5; X-Pro1 de Fuji.

Il semble par ailleurs que la course aux pixels ne soit pas encore sur le point de s'arrêter. Sony a récemment mis sur le marché un appareil compact dont le capteur plein format (24 x 36, comme sur les reflex professionnels) offre une résolution de 24 millions de pixels. Mais à près de 3000 $, ce petit bijou s'adresse malheureusement à une minorité.

Photos Bernard Brault (pages 186 et 187)

Le premier appareil de Bernard en 1975 : un Canon FTB avec objectif 50mm F1,8 et des films

Le plus récent appareil de Bernard :
Nikon D4 avec objectif Nikon 14-24mm
F2,8 et des cartes mémoires de 16GO

Une diapositive Kodachrome

Une photo d'une patineuse prise à
Helsinki, Finlande en 1977

Photo Bernard Brault, Vancouver
Données techniques Canon F1; objectif Canon 28mm, film Kodachrome

Vue de Vancouver en 1983

Photo Bernard Brault, Vancouver
Données techniques Nikon D3S; zoom Nikon 24-70mm F2,8; 1/800 F5,0; 100 ISO

Vue de Vancouver en 2011

Exposez votre créativité

En cette ère du numérique et du virtuel, les gens ont davantage le réflexe de partager leurs photos dans le cyberespace plutôt que de les conserver, de les archiver ou de les exposer dans l'intimité de leur demeure ou de leur bureau. Faire imprimer des photos en format 4 x 6 et les classer dans un album n'a absolument rien d'anachronique.

D'ailleurs, posez-vous la question : pour vous rappeler vos vacances, allez-vous aimanter votre téléphone intelligent sur votre réfrigérateur ou plutôt y coller des photos en formats 4 x 6, 6 x 8 ou 8 x 12 avec de la gommette bleue ?

Les impressions sur papier coûtent trois fois rien. La plupart des détaillants (magasins spécialisés, grandes surfaces, supermarchés et pharmacies) offrent le 4 x 6 pour à peine 0,20 $ chacune. Et il y a souvent des promotions. Pensez-y : vous pouvez obtenir 20 photos imprimées, sinon davantage, pour le prix d'un seul café !

En plus de cette bonne vieille photo imprimée, sachez qu'il existe d'autres supports, tout aussi intéressants les uns que les autres, pour mettre vos photos de vacances en valeur. Bref, ne vous limitez plus à des courriels, à Twitter ou à Facebook pour exposer votre créativité.

LE LIVRE PHOTO

Faire publier un livre dans les règles de l'art est un exercice relativement long et assez oné-reux. Entre l'auteur et le lecteur, il y a tout un univers : maison d'édition, chargé de projet, imprimeur, distributeur, libraires, etc. Et pour que tout ce travail en vaille la peine, il faut bien souvent faire imprimer des centaines ou milliers d'exemplaires de l'œuvre.

Toutefois, il existe depuis quelques années une solution intéressante pour ceux et celles qui désirent ne produire qu'un ou deux exemplaires d'un ouvrage imprimé et relié : le livre photo.

Fait intéressant, vous décidez tout : le nombre de pages, le format du livre de même que la façon dont seront disposés le texte et les photos. En fait, c'est vous qui ferez le montage grâce à des logiciels faciles d'utilisation.

Il peut en coûter 20 $ pour un petit livre (5 x 7) d'une vingtaine de pages et jusqu'à 100 $ pour un grand livre (11 x 17) de 75 pages. Tout se fait par Internet. Et au bout de quelques semaines tout au plus, vous recevrez votre livre photo par la poste ou vous irez le cher-cher au magasin ou chez le détaillant avec qui vous aurez fait affaire.

Des magasins comme Lozeau, à Montréal, offrent le service du livre photo. Les pharma-cies Jean Coutu, aussi. Sinon, sur Internet des entreprises comme Shutterfly, Blurb ou MixBook sont fiables. Plus près de chez nous, un jeune couple de Québécois a mis en ligne le site < PhotoInpress.ca >.

TEXTURES ET GRANDS FORMATS

Deux autres options s'offrent à ceux et celles qui souhaitent mettre en valeur de manière singulière leurs photos de voyage : les textures et les gros formats.

Par texture, nous entendons le matériau sur lequel la photo sera imprimée. Cela va du canevas (toile de peintre) aux tissus, en passant par la surface métallisée. En fait, on peut pratiquement faire imprimer une photo sur à peu près n'importe quelle surface.

La photographie en très grand format est une autre avenue intéressante. On en voit régulièrement dans les revues de décoration. Au lieu de peindre ou de créer un faux-fini sur un mur, plusieurs designers et amateurs optent pour une photo géante.

Mais attention, de toutes les options mentionnées dans ce chapitre, les impressions en format géant, qui prennent souvent l'allure d'un papier peint qu'on installe en bande, sont sans doute les plus coûteuses. On parle ici d'environ 0,07 $ le pouce carré. Pour un mur de huit pieds sur dix pieds (donc 11 520 pouces carrés), il en coûtera facilement 800 $. Mais l'effet sera saisissant, ça, c'est garanti !

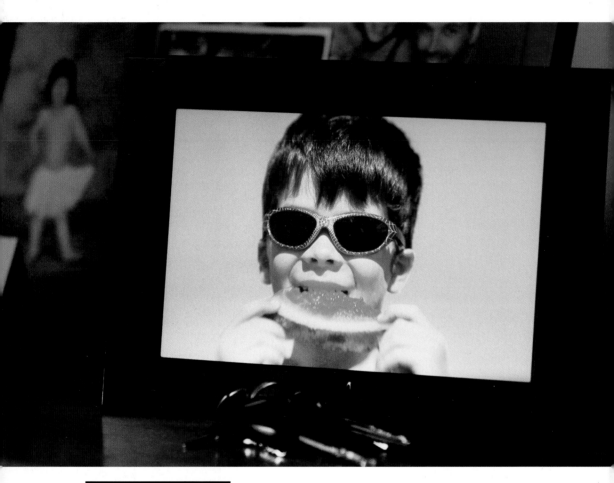

Photo Stéphane Champagne

CHAPITRE 13

LE CADRE NUMÉRIQUE

Une photo encadrée, qu'elle soit sur une table ou sur un mur, crée toujours un bel effet. Imaginez un cadre permettant d'afficher jusqu'à 1000 images différentes et qui, en plus, seront très lumineuses! C'est ce qu'offrent les cadres numériques.

À l'instar des autres gadgets technos, les cadres numériques coûtaient cher (entre 300 $ et 400 $) lorsqu'ils ont fait leur apparition sur le marché, il y a de cela quelques années. Leur qualité était discutable. Aujourd'hui, la plupart sont beaucoup plus abordables et extrêmement fiables.

Toutefois, le consommateur a le choix entre différentes technologies. Les écrans ACL sont bien, mais ils sont moins performants que les cadres LED qui, dans le cas présent, sont beaucoup plus lumineux. Vos photos n'en seront que rehaussées.

Gardez en tête que plus le cadre est grand (de 10 à 50 cm, mesuré en diagonale), plus son prix est élevé. Certains modèles ont un disque dur (1 gigaoctet ou plus) permettant de stocker des photos ou de la vidéo. D'autres doivent être alimentés à l'aide d'une clé USB. On peut aussi programmer le cadre pour que les photos défilent les unes après les autres dans un intervalle allant de 10 secondes à 24 heures.

Bref, ce ne sont pas les modèles ni les formats qui manquent. Notre choix s'est tourné vers les produits Sony, lesquels fonctionnent avec la technologie LED. À notre avis, les cadres offrant le meilleur rapport qualité-prix se trouvent actuellement dans les formats variant entre 20 et 25 cm et dont le prix d'achat va de 80 $ à 140 $.

REMERCIEMENTS

Bernard et Stéphane désirent remercier tous ceux et celles qui, de près ou de loin, ont contribué à la réalisation de ce livre : Caroline Jamet, Martine Pelletier, Yves Bellefleur, Pascal Simard et Yanick Nolet des Éditions La Presse ; Daniel Limoges, du magasin Lozeau ; Bruno Guglielminetti ; Jean Lemire ; Bryan Smith, de Jay Peak ; Roger Laroche, du < carnetduski.com > ; Martine St-Pierre, Mathilde Brault, Marie-France Létourneau, Antoine et Louis Champagne ; Denys Champagne ; et Jean-Luc Brassard.

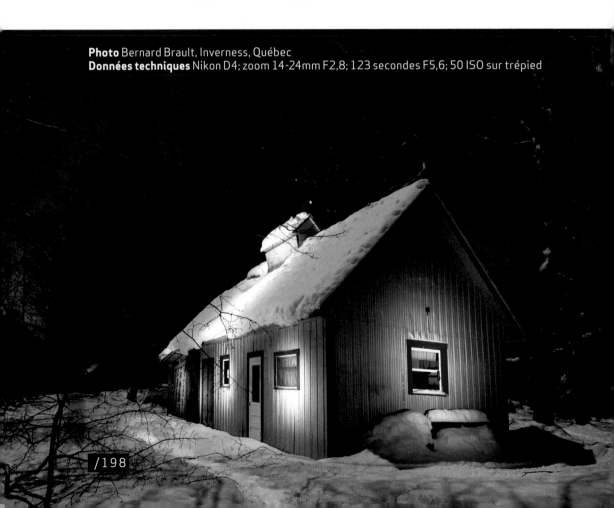

Photo Bernard Brault, Inverness, Québec
Données techniques Nikon D4; zoom 14-24mm F2,8; 123 secondes F5,6; 50 ISO sur trépied